AMOUREUSE
JOSÉPHINE

ANDRÉ CASTELOT

AMOUREUSE JOSÉPHINE

PRESSES POCKET

POCKET

116, RUE DU BAC, PARIS

EN SUIVANT LES PAS DE JOSEPHINE A LA MARTINIQUE...

Au lieu de m'offrir en guise d'apéritif le traditionnel « ti-punch » — blanc ou vieux — le Dr Rose-Rosette — le plus érudit et le plus exquis des Martiniquais — me tendit un jus de corossol.

— C'est pour vous calmer, me dit-il en riant. Les femmes nerveuses en prennent des bains et lorsqu'un candidat a été battu aux élections on agite devant lui des branches de corossol afin d'endormir sa rancœur...

Nous étions à La Pagerie, sur les lieux mêmes où naquit, Rose Tascher de La Pagerie, la future impératrice Joséphine et j'étais quelque peu ému. C'était, dans ce vallon mélancolique — mais égayé par l'ex-

traordinaire symphonie des verts clairs ou
noirs, piquetés de fleurs jaunes, roses et
pourpres — c'était là qu'avait commencé
la plus extraordinaire destinée féminine de
l'Histoire. Le domaine appartient aujour-
d'hui au Dr Rose-Rosette, dernier amoureux
de Joséphine, qui a fait dégager à grand-peine
les ruines de la sucrerie et a relevé les murs
de la cuisine et de la chambre de repos de
Mme de La Pagerie, où un petit musée a été
installé. On y voit le lit de Joséphine... ce lit
en bois de courbaril qui berça ses rêves de
jeune fille et où — rival en la matière du
Dr Rose-Rosette — je me suis surpris à rêver,
moi aussi, à cette petite créole née « aux îles »
dont le mari — ce mari qui s'appelait Napoléon — dira :

— Elle était femme dans toute la force du
terme, mobile, vive et le cœur le meilleur.

Séparé d'elle, il lui écrira aussi :

« Je n'ai pas passé un jour sans t'aimer. Je
n'ai pas passé une nuit sans te serrer dans
mes bras. Je n'ai pas pris une tasse de thé
sans maudire la gloire et l'ambition qui me
tiennent éloigné de l'âme de ma vie. »

-:-

La petite église des Trois-Ilets au clocher
de bois existe encore et c'est là, sous la même
voûte — carène renversée d'un navire — or-

née de lustres de cristal que le matin de juillet 1763 un frère capucin — le frère Emmanuel — baptisa la fille du seigneur voisin, en ce même baptistère qui sert toujours depuis deux siècles. Puis rentré au presbytère — il se dresse à 200 mètres de la tour fendillée par les tremblements de terre — il traça ces lignes :

Aujourd'hui vingt-sept juillet 1763, j'ay baptisé une fille âgée de cinq semaines, née du légitime mariage de Messire Joseph Gaspard de Tachers, Chevalier Seigneur de la Pagerie, Lieutenant d'Artillerie Réformé Et de Madame Marie-Rose des Vergers de Sanoix, ses père et mère.

Elle a été nommée Marie Josèphe Rose, par Messire Joseph des Vergers, chevalier Seigneur de Sanoix et par Madame Marie Françoise de la Chevallerie de La pagerie ses parein et Mareine soussignés ; Signés Tacher de la Pagerie, des vergers de Sanoix, La Chevallerie de la Pagerie et frère Emmanuel, capucin curé.

Quelqu'un ne signa pas le registre, et se trouvait pourtant la plus émue de la petite assistance. Il s'agissait de l'esclave Marion, la « da » — plantureuse nourrice noire — qui depuis cinq semaines donnait de son lait généreux à la fille de ses maîtres.

C'est dans cette même église que la mère

de Joséphine — Rose-Claire des Vergers
de Sanoix — d'une vieille famille de l'île,
avait été baptisée et qu'elle avait épousé, en
1761, Joseph Gaspard de Tascher, seigneur
de La Pagerie, né au Carbet, là même où,
paraît-il, Christophe Colomb avait débarqué
se croyant aux Indes. Les Tascher étaient
assurément d'une famille moins ancienne
que les des Vergers de Sanoix, mais descen-
daient par les femmes du célèbre Pierre de
Belain, seigneur d'Esnambuc, qui avait apporté les Antilles à la France.

M. de La Pagerie s'occupait peu de la plantation qui employait 150 esclaves et se
trouvait donc plus importante qu'on l'a
prétendu. En 1807, lorsque mourra la mère
de Joséphine — alors la belle-mère de
Napoléon — La Pagerie, à peine plus étendue qu'en 1763, sera estimée près de
600 000 francs, chiffre à multiplier au moins
par quatre. M. de La Pagerie préférait passer
son temps à Fort-Royal — aujourd'hui Fort-
de-France et hier Fort-Napoléon — où, soupirait Rose-Claire, « il y trouve plus de plaisir que ceux qu'il pourrait trouver auprès de
moi et de ses enfants ». La malheureuse
femme souffrait de l'indifférence de son
mari pour elle et, lorsqu'un peu plus tard
elle attendra un autre enfant, elle souhaita
que ce soit un garçon : « Peut-être cela don-
nera-t-il plus d'amitié à son père pour

moi... » Ce fut une autre fille et M. de La Pagerie n'accorda pas plus d'amitié à sa femme.

Yéyette avait un peu plus de trois ans lorsque, le 13 août 1766, un chef caraïbe, un *ouboutou* — tous n'avaient pas été exterminés — vint annoncer qu'il venait d'allumer un bûcher de bois vert sur l'un des monts — les *mornes* — entourant la propriété. L'épaisse fumée s'était élevée toute droite et ne s'était inclinée brusquement vers le nord que très haut dans le ciel. De plus, la veille, le soleil s'était couché « dans le sang ». Assurément un cyclone allait balayer l'île. En effet, quelques instants plus tard, les oiseaux venaient s'abattre pour se réfugier près des habitations, la mer se souleva, se mit à bouillonner et ce fut le commencement du terrible ouragan. Cette fois, il ne s'agissait pas d'une « bourrasque à bananes » qui jetterait simplement à terre les bananiers, mais d'un cyclone. La famille Tascher, entourée des esclaves, était allée se réfugier dans la sucrerie qui, en pierre, devait résister aux éléments déchaînés. Tous à genoux, récitèrent les litanies de la Vierge, tandis qu'à l'extérieur le raz de marée, accompagné d'une pluie diluvienne et d'un vent couchant les cocotiers comme des brins d'herbe, ravageait l'île.

Tel fut le premier souvenir de Rose.

Lorsque le calme revint, la grande maison de bois entourée de sa véranda n'existait plus et les Tascher allèrent demeurer au premier étage de la sucrerie.

Dans la vallée heureuse où coule la rivière de La Pagerie — appelée aussi la rivière *Croc-souris*, du nom du mont où elle prend sa source, la petite Yéyette est heureuse et vit insouciante, ayant autour d'elle une petite cour formée des enfants des esclaves. « Ici la terre se change en or », dit-on, et pour se nourrir ou se rafraîchir, elle n'a qu'à tendre le bras. Un arbre à pain suffit à approvisionner plusieurs personnes et l'on peut voir encore aujourd'hui, dans certains villages, des arbres à pain centenaires appartenant à une dizaine de familles ayant chacune « leur » branche. Lorsqu'on plante, le long d'un chemin, des piquets en bois fraîchement taillés, quelques semaines plus tard la haie possède racines, feuilles et branches.

-:-

Nous achevions un repas semblable à ceux que prenait ici même Joséphine : des « z'habitants » — ces gigantesques écrevisses martiniquaises — des crabes de terre au riz — des tourbourou — des coffres, des poissons si merveilleux que les pêcheurs re-

fusent de les vendre et préfèrent les garder
pour eux... mais comment refuser quelque
chose à l'actuel seigneur de La Pagerie, maire
des Trois-Ilets et à sa femme, la plus belle
mulâtresse blanche de l'île ?

— Prenez cet ananas, me propose mon
hôte, il est *France,* comme on dit en créole.

Car dans ce département un peu trop oublié, quand on veut désigner quelque chose
de beau et de bon, on l'appelle *France.*

Nous suivons maintenant le chemin om-
breux bordé de cocotiers, d'arbres à pain et
de gingembre, longeant la rivière que l'on
entrevoit sous les lianes, les hibiscus et les
orchidées... ce chemin que la future impératrice suivait chaque matin pour aller prendre
son bain. Mais le docteur hésite. Est-ce ici,
près de ce manguier ? Une femme bien âgée
nous croise. Où se trouve le « bassin la
reine » ? Car l'Impératrice, pour les Martiniquais, est la reine. Nous la suivons. Elle se
nomme Mme Maximilien Bonba et son ar-
rière-grand-père était esclave de La Pagerie.
Son madras est noué à deux bouts, mais je
pense qu'à son âge elle a abandonné ce charmant télégraphe amoureux antillais d'autrefois : un bout : *cœur neuf* ; deux bouts :
cœur à prendre ; trois bouts : *cœur pris.*
Certaines nouaient même le tissu de telle
sorte que quatre bouts se dressaient fière-
ment et précisaient ainsi : *cœur en folie* don-

nant ainsi libre cours au *cavalage*, selon l'expression créole... Soudain elle s'arrête et nous montre, sous un haut cocotier et un prunier de cythère, la rivière qui s'évase en une conque gracieuse.

— Papa grand-papa a moin ouê la Reine ici a baigné (Ici le père de mon grand-père a vu la reine se baigner.)

Sur cette grande dalle que l'on devine encore enfouie sous les herbes, elle venait se sécher.

Un bouc attaché à un piquet nous regarde intrigué.

— Il s'appelle Robespierre.

— Robespierre ?

— Oui, tous les grands boucs à barbe grise s'appellent ici Robespierre...

En suivant un chemin entre les cannes à sucre, pour rejoindre Fort-de-France, nous sommes allés nous embarquer au Trou Morin ; le trajet est quatre fois plus court en traversant la baie qu'en prenant la voie de terre. C'est au même endroit que Yéyette, âgée de dix ans, prit un matin le *gommier*, la longue barque qui allait la conduire chez les Dames de la Providence à Fort-Royal. Comme nous, elle passa devant les trois îlots minuscules qui ont donné le nom au village — îlet Charles, îlet Sixtain, îlet Tebloux — puis longea l'îlet à vache, une véritable île, celui-ci, et dont la croupe arrondie, haute

au-dessus de l'eau, l'a fait baptiser l'îlet Man-
doline. Une bonne heure plus tard — une
heure de navigation dans l'un des plus
beaux paysages du monde — elle arrivait à
Fort-Royal qui étageait ses maisons de bois
au pied des pitons vert bronze du Carbet.

Les portes du couvent se refermaient sur
elle.

> *Adieu foulards!*
> *Adieu madras!*
> *Adieu grains d'or*
> *Adieu colié chou*

Durant quatre années, la petite Rose — on
ne l'appelait plus Yéyette — suivit les pré-
ceptes édictés par le R.P. Charles-François
de Coutances, vice-préfet apostolique aux
îles du Vent d'Amérique, suivant lesquels
il fallait « imprimer de bonne heure aux
jeunes filles cette pudeur et cette modestie
de sentiment qui font le plus bel ornement
de leur sexe ; cette douceur et cette bonté
de caractère qui en fait l'agrément de la société ».

— Appliquez-vous, ajoutait encore le vice-
préfet aux religieuses, à donner à vos élèves
des manières simples et unies, les façons af-
fectées gâtent les plus belles qualités natu-
relles ; comme la danse sert beaucoup à leur
donner les agréments de l'attitude et de
maintien, vous leur en procurerez un maî-

tre sans scrupule, mais avec choix et dis-
crétion.

En quittant les Dames de la Providence, la
future impératrice savait danser, chanter,
pincer la guitare et connaissait « l'orthographe du cœur ». Rentrée près de sa mère
aux Trois-Ilets, elle reprit son existence de
farniente : sieste, baignades, excursions à travers l'île, de la montagne Pelée jusqu'à ce rocher du Diamant qui se dresse au milieu de
la mer des Caraïbes et qui, quelques années
plus tard, entrera dans l'Histoire par l'ex-
ploit de 120 Anglais qui, accrochés au
flanc de ce gigantesque caillou, résistè-
rent durant dix-sept mois aux forces françaises. Depuis, les vaisseaux de S.M. Bri-
tannique passant au large saluent d'une salve
le rocher héroïque...

-:-

Et Rose eut seize ans. Un témoin nous
la peint « toute pétrie de grâce », mais
« plus séduisante que jolie ». S'il faut en
croire — et il ne le faut pas, je pense — un
certain Tercier, général vendéen, la future
« Mme Napoléon » eut avec lui une aventure. Officier du régiment de la Martinique,
il avait été reçu par la meilleure société martiniquaise. « C'est parmi les personnes qui
la composaient, écrit-il, que je fis connaissance de Mlle Tascher de La Pagerie, la cé-

lèbre impératrice Joséphine. J'étais fort lié avec sa famille. J'ai souvent été passer quelques jours sur l'habitation de Madame sa mère. Elle était jeune alors, je l'étais aussi... »

Ces points de suspension sont de la main du général qui écrivit ses *Mémoires* bien plus tard, alors qu'il avait été un ennemi farouche de Napoléon...

A cette même époque, toute la maisonnée fut en émoi : le marquis de Beauharnais, demeurant en France, amant de Mme Renaudin, frère de M. Tascher de La Pagerie, demandait la main de la sœur de Rose-Catherine-Désirée pour le jeune vicomte Alexandre-François de Beauharnais.

Alexandre ? Bien sûr, tout le monde le connaissait puisqu'il était né à la Martinique en 1760, trois ans avant Joséphine, alors que son père était lieutenant général et gouverneur des Antilles françaises. Il était même resté à Fort-Royal après le départ de ses parents qui l'avaient confié à Mme Tascher de La Pagerie, grand-mère de la future Joséphine. En bousculant les dates, certains historiens ont voulu faire du jeune Beauharnais l'ami d'enfance de celle qui deviendrait un jour sa femme. Dès 1765 ou au début de 1766, Alexandre partait pour la France. Rose avait alors à peine trois années. On est précoce au bord de la mer des Caraïbes, encore ne faut-il point exagérer...

C'était, bien entendu, Mme Renaudin qui avait manigancé le mariage, inespéré pour une petite Tascher sans fortune. Malheureusement, au moment où la demande en mariage arriva, aux Trois-Ilets, Catherine-Désirée était morte. Le papa proposa alors sa troisième fille, Manette, « dont la santé et la gaieté de caractère » s'ajoutaient à « une figure qui sera intéressante ». Mais Manette n'avait que onze ans et Mme de La Pagerie ne voulait point se séparer d'elle. M. Tascher de La Pagerie offrit Rose, « très formée pour son âge et devenue puissante depuis cinq à six mois à lui donner dix-huit ans », d'un caractère fort doux, « pinçant de la guitare, avec une jolie voix et d'heureuses dispositions pour la musique ». Mme Renaudin répondit alors :

« Arrivez avec une de vos filles, avec deux. Tout ce que vous ferez nous sera agréable et trouvez bon que nous vous laissions guider par la Providence qui sait mieux ce qui nous convient que nous-mêmes. »

Et c'est ainsi que Rose se trouva fiancée avec Alexandre de Beauharnais. Sans doute est-ce pendant ces laborieuses transactions que Rose se rendit voir une devineresse noire nommée Euphémie David, à moins que ce ne soit la sorcière caraïbe Eliana ? L'histoire paraîtrait sortie de la plume imaginative

d'un de nos confrères de la *presse du cœur*
si Napoléon et Joséphine n'avait pas rapporté le fait. Joséphine se serait rendue chez
la pythonisse, non loin des Trois-Ilets, en
compagnie de son amie et lointaine cousine,
Aimée de Buc de Riverny. La devineresse,
après s'être penchée sur la main d'Aimée lui
dit :

— Tu seras reine, un jour.

Quelque temps plus tard, en effet le
vaisseau qui conduisait Mlle de Buc en
France fut capturé par des corsaires turcs ;
vendue comme esclave à Alger et offerte,
par le dey, au sultan Salim III. Le Com-
mandeur des croyants fit d'Aimée sa sultane
favorite. C'est ainsi que Validé — tel fut
son nom turc — devint la mère de Mah-
moud II.

La devineresse contempla longuement la
main que, tremblante, lui avait ensuite tendue
Mlle de La Pagerie. Elle la regarda, éblouie :

— Vous vous marierez bientôt, mur-
mura-t-elle ; cette union ne sera point heureuse ; vous deviendrez veuve, et alors...

Il y eut un temps, puis la vieille Martiniquaise acheva :

— Et alors, vous serez plus que reine.

Rose ne sera point heureuse avec Alexandre de Beauharnais. L'ancien président de
l'Assemblée législative mourra sur l'échafaud. Et Rose, épousera un certain Napo-

leone Buonaparte — c'est ainsi qu'il écrivait
alors son nom — il baptisera sa femme Joséphine, estimant — non sans raison — que
trop de lèvres masculines avaient prononcé
son prénom... Elle deviendra reine d'Italie
et impératrice d'un empire s'étendant de
Brest à Varsovie et de Hambourg à Rome.
Sa fille sera reine de Hollande, son fils vice-
roi d'Italie. L'un de ses petits-enfants deviendra l'empereur Napoléon III et six autres épouseront la reine de Portugal, le
prince royal de Suède, l'empereur du Bré-
sil, le prince de Hohenzollern, la grande-
duchesse Marie Nicolaiewna de Russie et le
comte de Wurtemberg.

Plus que reine...

Et c'est pourquoi sa statue s'élève au
cœur de la Savane, la place verdoyante de
Fort-de-France.

La bonne du Dr Rose-Rosette avait fait
venir « à la ville » une de ses nièces.
— En arrivant avec le car-pays as-tu salué
la statue ?
— J'ai fait le signe de croix, répondit la
petite.
— Veux-tu bien vite retourner à la Savane et t'agenouiller devant Elle.

Joséphine statufiée joue là-bas un rôle
étrange. Lors d'un récent carnaval, la reine

élue était du type par trop européen. Dans ses veines coulait seulement $1/32°$ de sang noir... De même que l'année suivante, la reine fut, paraît-il, un peu trop négroïde. Alors, pour manifester leur dédain pour les canons de la beauté martiniquaise, certains allèrent badigeonner en noir la statue de l'Impératrice...

1

QUAND JOSEPHINE S'APPELAIT ROSE

LES yeux encore pleins du soleil de la Martinique, Rose Tascher de La Pagerie, en débarquant à Brest, découvre la France. La ville est noyée par le crachin. Son père tombe malade et c'est dans une froide et sombre auberge qu'elle attend son fiancé. Enfin, après quinze jours d'attente Alexandre de Beauharnais est là, devant elle. Lorsqu'elle le voit — le mercredi 27 octobre 1779 — beau, élégant, de manières élégantes et « versaillaises », le fiancé lui apparaît assurément conforme à ses rêves de créole de seize ans... Peut-être même est-il venu ce jour-là dans son charmant uniforme ? En prévision de son mariage, il s'est paré du titre de vicomte auquel il n'a d'ailleurs aucun droit... Rose sera vicomtesse !

Pour Alexandre, ce mariage n'est qu'une

opération de convenance. Epouser la nièce de
la maîtresse de son père qui, depuis près de
douze ans, lui sert de mère, rend simplement
l'événement plus « familial ». J'entends par là
que sa femme se trouve un peu moins pour
lui une étrangère. A cette époque tant de
jeunes gentilshommes ont à peine vu leur
épouse avant le mariage ! Alexandre, lui, a
un peu l'impression d'épouser une manière
de cousine. Son cœur n'a nullement battu
plus vite — même de curiosité — en voyant
pour la première fois celle qui va porter son
nom.

Il n'ignore rien de l'amour, et sa maîtresse
Mme de La Touche de Longpré vient de lui
donner un fils baptisé Alexandre comme son
amant... mais aussi comme son mari... un
mari qui savait vivre puisqu'il n'était jamais
chez lui.

Et M. de La Pagerie en meilleure santé,
l'on part à petites étapes pour Paris... la capitale sur laquelle Rose, petite créole de la
Martinique, île du Vent, régnera un jour...

-:-

Deux mois et demi plus tard, Rose est mariée... La future Joséphine a été éblouie par
son séduisant mari, par sa belle tournure, sa
prestance élégante et même par son cynisme

de bon ton sous le règne de Marie-Antoinette. De plus, il lui fait découvrir l'amour
et lui a offert ses premiers bijoux : une
montre, une paire de bracelets et de giran-
doles. Elle les garde dans sa poche et les caresse avec amour lorsqu'elle ne les porte
pas... Elle est amoureuse, mais lui n'a pas le
moins du monde été conquis. Et comment
ce dandy aurait-il pu l'être par cette petite
fille de seize ans, venue d'un village de pail-
lottes plantées au bord de la mer des Caraïbes ! La nouvelle Mme de Beauharnais n'a
guère d'usages, encore moins de conversation, et se montre si loin de l'idéal féminin de
l'époque : cette femme du XVIIIe siècle, toute
pétrie de grâce, de charme, et d'esprit surtout, qui se doit de posséder un sens aigu
du ridicule et savoir manier moquerie et
impertinence ! Ce qui attirera tant de dé-
sirs masculins, la grâce incomparable de Joséphine, sa langueur venue des îles, sont
encore à l'état de promesses. Son corps même,
qui fera les délices de bien des hommes, ne
s'épanouira que plus tard.

Marie-Rose espérait que son mari la pro-
duirait dans le monde et la conduirait à Ver-
sailles. Mais M. de Beauharnais — vicomte
de sa propre autorité — ne pouvait pas plus
être admis à monter « dans le carrosse du
roi », qu'à être reçu à la cour.

Demeure le monde, mais Alexandre se re-

fuse même à mêler sa femme à la vie parisienne. Selon lui, Rose n'a pas été élevée :

— J'ai formé le plan de recommencer son
éducation et de réparer par mon zèle, les
quinze premières années de sa vie qui ont
été négligées.

Qu'elle se mette donc au travail pour satisfaire son pédant époux ! — car il l'est, et
combien ! — et surtout qu'elle ne lui témoigne pas constamment son amour et ne se
montre point jalouse ! C'est là du dernier
commun ! La petite Rose ose soupçonner
son libertin mari d'infidélités ! Sentiment
qui est alors considéré comme point à la
mode et bon pour les petites gens — surtout
dans le cas d'un mariage de convenance...
Pis ! Elle ose le lui écrire ! Quel mauvais
ton !

La future Joséphine n'ignore point que
son mari la trouve trop ignorante, il le lui
répète sans cesse... Alexandre a fait de bonnes études et la petite « vicomtesse » est
ignarde comme une créole qui a poussé au
soleil ! Aussi, lui promet-elle avec gentillesse
et bonne volonté, de tout mettre en œuvre
pour apprendre ce qu'elle ignore, et de faire
ainsi honneur à celui dont elle porte le
nom : « C'est en persistant dans la résolu-
tion que tu as formée, lui écrit le vicomte,
que les connaissances que tu acquerras t'élè-
veront au-dessus des autres et que, joignant

alors la science à la modestie, elles te ren-
dront une femme accomplie. »

C'est avec une joie sans mélange et un
étonnant contentement de soi que le vani-
teux vicomte trace à l'intention de sa jeune
femme — qu'il n'aime pas — des phrases
creuses et ampoulées. Il est fat à faire fré-
mir : « En vérité, pontifie-t-il, j'admire mon
amour-propre. Je parle en homme sûr d'être
aimé, d'être désiré. »

Pauvre Rose !

La venue d'un enfant — le petit Eugène — n'arrange nullement les choses.

« J'ai pris le parti, déclare bientôt le
mari, d'abandonner à qui voudrait l'entre-
prendre l'éducation de ma femme. Au lieu
de rester une grande partie de mon temps
à la maison, vis-à-vis d'un objet qui n'a rien
à me dire, je sors beaucoup plus que je ne
l'avais projeté et je reprends en partie mon
ancienne vie de garçon. Ma femme est devenue jalouse et a acquis toutes les qualités
de cette funeste passion. Voilà où nous en
sommes aujourd'hui ! Elle veut que, dans le
monde, je m'occupe uniquement d'elle ; elle
veut savoir ce que je dis, ce que je fais, ce que
j'écris, etc. et ne pense pas à acquérir les
vrais moyens de parvenir à ce but !... »

Les vrais moyens ? Que « l'objet », ainsi
qu'il appelle sa femme, demande à son père
de lui donner des rudiments d'orthographe

et de géographie. De son côté, sa tante ne pourrait-elle pas « la mettre au fait de notre littérature » ?

On croit rêver ! En somme, que Rose apprenne la grammaire, et son mari cessera de la tromper et demeurera aux genoux de sa femme !

-:-

Alors que Rose attend son second enfant, Alexandre s'embarque avec sa maîtresse — Mme de Longpré — pour la Martinique. Il espère trouver la gloire dans son île natale menacée par les Anglais. Tandis qu'il vogue vers les Antilles à bord de la *Vénus* — un voyage alors interminable — le jeune capitaine a tout le temps pour faire le point de la situation.

Assurément, il a été désarmé par les gentillesses de Rose. Il semble même avoir pris son parti de l'ignorance et des jalousies de sa femme-enfant, voire de ses niaiseries de pensionnaire, de ses enfantillages et de sa frivolité de créole. Ce ménage de convenance pourrait devenir un bon ménage si Rose, après avoir été intimidée par son mari, puis en étant devenue amoureuse de lui, ne commençait pas à être agacée par l'insupportable personnage. Elle lui avait à peine écrit alors qu'il attendait à Brest, puis à l'île d'Aix, des vents favorables pour lever l'ancre. Assurément cet homme versatile, ce bel esprit pédant et pontifiant, ce monsieur qui croyait posséder la science infuse devait être prodigieusement ennuyeux.

En débarquant à la Martinique, Beauharnais apprend que les préliminaires de la paix ont été signés la veille et que, de ce fait, la gloire qu'il est venu chercher au bord de la mer des Caraïbes risque fort d'être toute relative. Il n'en demeure pas moins dans l'île où il mène une existence bien remplie, non par les exercices militaires, mais par les opérations menées sur la carte du Tendre. On s'en doute, Mme de Longpré ne lui suffit pas à tuer le temps. Amours blanches, noires, ou teintées à ravir, se succèdent...

Or, un jour de la mi-juin, Alexandre apprend la naissance à Paris de la petite Hortense. Dans un salon de Fort-Royal — chez les demoiselles Hurault — on félicite l'heureux père qui se rengorge. C'est alors que cette petite peste de Mme de Longpré intervient à peu près en ces termes :

— La fille de Mme de Beauharnais ne peut être de vous, mon ami, attendu qu'il manque une douzaine de jours pour parfaire les neuf mois...

Et elle conclut, victorieuse :

— Or les femmes retardent plutôt qu'elles n'avancent !

La future reine de Hollande avait été
conçue au retour de M. de Beauharnais d'un
long voyage en Italie — le 25 juillet 1782 —
et, depuis que sa femme se trouvait enceinte,
dans ses nombreuses lettres, le vicomte avait
fait de fréquentes allusions à la naissance de
son second enfant — venue au monde dont
il se réjouissait fort — sans jamais mettre en
doute sa paternité. Assurément, entre le
25 juillet 1782 et le 10 avril 1783 — date
de la venue au monde de la petite Hortense — n'y a-t-il que huit mois et seize
jours, sans doute encore, lorsqu'on n'ignore
point la légèreté dans ce domaine de la future
impératrice, a-t-on le droit de se montrer
prudent en cette matière... Cependant, il
semble que la future reine de Hollande ait
bien été la fille du vicomte de Beauharnais.

Quoi qu'il en soit, Alexandre hausse
d'abord les épaules. Il n'est point un jobard !
C'est alors que Mme de Longpré — sinon
jalouse, du moins agacée de l'amour porté
par son amant à sa jeune femme — lui apprend qu'elle s'est livrée à une enquête dans
l'île. Elle a interrogé l'un des esclaves de La
Pagerie — le noir Maximin — qui lui a
raconté que Rose avait eu de nombreuses
aventures avant son départ pour la France.
L'esclave a même cité des noms...

Or, Maximin a parlé car Mme de Longpré
lui a « prodigué » de l'argent. La maîtresse

de M. de Beauharnais s'est ensuite adressée à l'esclave Brigitte qui servait Rose à La Page-rie — mais sans succès. Brigitte n'a rien voulu dire. Alexandre décide alors de l'inter-roger lui-même.

— Je ne lui ai jamais connu d'amourette, affirme l'esclave.

Alexandre prétend posséder les preuves d'une correspondance amoureuse...

— Je ne l'ai jamais vue écrire à personne, s'exclama Brigitte.

Espérant avoir plus de succès auprès de Maximin, M. de Beauharnais lui pose de nombreuses questions, mais l'esclave, en dé-pit des quinze *moedes* qui lui sont remis, refuse de répéter les « noirceurs » qu'il au-rait racontées à la maîtresse de M. de Beau-harnais. Alexandre n'en croit pas moins les calomnies de Mme de Longpré, et écrit à sa femme une lettre terrible : « Malgré la fureur qui me suffoque, je saurai vous dire froidement que vous êtes à mes yeux la plus vile des créatures, que mon séjour dans ces pays-ci m'a appris l'abominable conduite que vous y aviez tenue... que je sais, dans les plus grands détails, votre intrigue avec M. de Be..., officier du régiment de la Martinique, ensuite celle avec M. d'Heureux embarqué à bord du *César*, que je n'ignore ni les moyens que vous avez pris pour vous satisfaire, ni les gens que vous avez employés pour vous en procurer la facilité ; que Brigitte n'a eu sa liberté que pour l'engager au silence... Il n'est donc plus temps de feindre et, puisque je n'ignore aucun détail, il ne vous reste plus qu'un parti à prendre, c'est celui de la bonne foi. Quant au repentir, je ne vous en demande pas, vous en êtes incapable : un être qui a pu, lors des préparatifs pour son départ, recevoir son amant dans ses bras, alors qu'elle sait qu'elle est destinée à un autre, n'a point d'âme : elle est au-dessous de toutes les coquines de la terre. Après tant de forfaits et d'atrocités... que penser de ce dernier enfant survenu après huit mois et quelques jours de mon retour d'Italie ? Je suis forcé de le prendre, mais j'en jure par le ciel qui m'éclaire, il est d'un autre, c'est un sang étranger qui coule dans ses veines ! »

On devine les réactions de Rose en recevant cette lettre de son mari. Y avait-il quelque chose de vrai dans les reproches adressés par Alexandre à sa femme ? Peut-être quelques imprudences commises par la jeune fille et fortement amplifiées grâce à l'or répandu par Mme de Longpré ? Cependant, lorsqu'il s'agit de la future Joséphine, on est en droit de supposer qu'il n'y eut pas de fumée sans feu... même si ce feu ne fut pas un brasier.

-:-

Le lundi 8 décembre 1783 à 11 heures du matin, Louis Joron conseiller du roi, commissaire au Châtelet, et son secrétaire Jean d'Esdouhard se présentaient à l'abbaye de Panthémont, rue de Grenelle, et étaient aussitôt introduits au second étage, dans le parloir numéro 3, où « dame Rose Tascher de La Pagerie, âgée de vingt ans, créole de la Martinique » vint les recevoir. C'était à sa demande, afin qu'ils puissent recevoir sa plainte « contre le sieur Beauharnais, son mary ».

Rose, au retour de son mari, et après de vains essais de réconciliation, avait en effet pris le parti de se réfugier chez les Bernardines de l'abbaye de Panthémont, rue de Grenelle. Là, dans ce pieux asile, les femmes en instance de séparation ou abandonnées par leur mari, ou bien encore désireuses de trouver momentanément un abri, venaient résider. Le cadre y était agréable, la société choisie, les manières et la conversation ce qu'il fallait qu'elles fussent en cette veille de la Révolution où tout un monde allait disparaître.

Il n'était alors guère facile de rompre un mariage. Bien sûr, ce que l'Eglise — seule détentrice de l'état civil — avait uni, demeu-

rait indissoluble. Le divorce n'existait pas,
mais on pouvait obtenir, devant le Parlement
une séparation judiciaire. L'incompabilité
d'humeur — et même les soufflets — ne suf-
fisaient pas. On raconte l'histoire de cette
petite comtesse de Forcalquier qui, ayant été
giflée par son mari, espérait bien obtenir la
séparation du ménage. N'y parvenant point,
elle pénétra dans le cabinet de son époux et
lui déclara, joignant le geste à la parole :

— Tenez, monsieur, voilà votre soufflet,
je n'en puis rien faire !

Rose n'avait pas la moindre petite gifle à
mettre dans son dossier. Une seule pièce :
la lettre d'injures et de calomnies envoyée de
la Martinique par son mari.

La jeune femme possédait un « fort joli
son de voix ». Nous le savons par le père de
Jean d'Esdouhard qui viendra voir, lui aussi,
la recluse. Et c'est de cette voix mélodieuse
qu'elle raconta aux deux hommes de loi ses
malheurs. Pour la première fois nous pos-
sédons un témoignage écrit à l'époque où la
petite créole ne semblait nullement destinée
à entrer dans l'Histoire. Rose parut à ses
visiteurs « fort intéressante, d'excellent ton,
de parfaites manières » et « de bonnes
grâces ». « On ne peut comprendre en vérité,
ajoutait Félix d'Esdouhard, lorsqu'on la voit
et l'entend, les mauvais procédés de son mari
et ses torts à son égard. »

Sans trop de difficulté Rose, mettant son
charme dans la balance, obtient la séparation. Elle pouvait désormais demeurer là où
elle l'entendait. Mais elle se trouvait si bien à
Panthémont, la société y était si agréable,
qu'elle décide d'y demeurer.

Et c'est là, durant les deux années qu'elle
vivra dans cette pension de bonne compagnie que Rose, la créole, va prendre le charmant visage et cette grâce exquise avec lesquels elle séduira le plus grand génie de tous
les temps, et qui la feront entrer dans
l'Histoire. En étant reçue parmi cette société
qui marchait en riant et en faisant des mots
vers la guillotine, la prison ou l'exil, elle a
acquis ce « bon ton », mots intraduisibles
en notre vocabulaire du xx° siècle. On dira
maintenant d'elle : « elle a de l'esprit » ; et
cette expression dans le sens qu'on lui donnait à la veille de la tourmente a disparu, elle
aussi, de notre langue. La vicomtesse de
Beauharnais est appréciée parmi les membres
de la pension de bonne famille. Ses malheurs l'ont rendue intéressante. On la plaint,
elle émeut... et on recherche sa compagnie.

Cependant, au mois de septembre 1785,
Rose quitte l'abbaye — et ses réunions mon-
daines — pour aller rejoindre le marquis de
Beauharnais et Mme Renaudin qui, ayant dû
abandonner leur hôtel parisien de la rue
Neuve-Saint-Charles dont Alexandre, peu

élégamment, avait retiré les meubles, sont allés résider à Fontainebleau.

Tandis que la future Joséphine abandonnait Paris pour Fontainebleau, au cours de ce même mois de septembre, à l'école militaire de Paris, un petit boursier du roi Louis XVI se classait, lors de l'examen annuel, 42° sur 137 aspirants et devenait lieutenant en second. Il venait d'avoir seize ans et se nommait encore Napoléon Buonaparte. Il partit par la diligence de Lyon, le lundi 31 octobre, pour rejoindre l'unité où il était affecté — le régiment de La Fère caserné à Valence — et s'arrêta pour dîner à Fontainebleau où Mme de Beauharnais résidait depuis onze jours.

Ces deux destinées se croisaient pour la première fois...

Le lendemain, le futur empereur, alors que la diligence montait une côte au pas, le nouvel officier sortit de la voiture et se mit à courir et à gambader comme un fou sur la route, tout en criant : « Je suis libre ! Je suis libre ! »

Assurément Rose, à Fontainebleau, pouvait crier, elle aussi, sa joie de se trouver libre et enfin maîtresse d'elle-même.

-:-

Leur vie, à l'un comme à l'autre, va commencer.

2

« *SANS-CULOTTE MONTAGNARDE* »

Au mois de juin 1788, après avoir mené
une existence fort libre, Rose décide de
partir pour la Martinique, avec sa fille Hortense. Pourquoi cet interminable voyage oné-
reux, dangereux au surplus, surtout en compagnie d'une petite fille de cinq ans ? Alors
que sa tante, Mme Renaudin, venait d'être
très malade et que le petit Eugène venait d'arriver à Fontainebleau pour y passer les va-
cances. Selon certains historiens, il s'agissait
pour Rose d'une fugue due à l'amour. Vou-
lait-elle fuir un amant ? En rejoindre un
autre ? S'agissait-il de Scipion du Roure
avec qui elle avait peut-être conté fleurette
avant son mariage et qu'elle devait, en effet,
retrouver à Fort-de-France ? Rose voulait-
elle dissimuler les suites apparentes et fâ-
cheuses d'une liaison ? Peut-être a-t-on tort

de ne pas vouloir chercher une explication
plus simple. La grand-mère de Rose était
morte, son père se trouvait souffrant, sa
sœur s'éteignait et, ainsi que le dira Hortense
dans ses *Mémoires* : « La position de ma
mère, quoique brillante, ne pouvait lui faire
oublier son pays et sa famille. Elle y avait
laissé une mère âgée qu'elle voulait revoir
encore une fois. » La « position » de la
future impératrice n'était point brillante et
nous le savons par les dettes qu'elle laissait
derrière elle, lors de son départ, et que
Mme Renaudin réglera en son absence :
103 livres de blanchisserie, 246 livres 10 sols
à deux cordonniers, et une dette plus importante de 1630 livres à un certain Tardif, un
prêteur ? Cependant pour acquitter son passage et celui d'Hortense elle dut vendre certains objets, et même sa harpe...

Le Sultan, sur lequel Rose, Hortense et
la servante mulâtre Euphémie prirent place
au Havre, le 2 juillet 1788, faillit périr dans
l'embouchure de la Seine, peu après avoir
levé l'ancre. La traversée fut longue puisque
ce fut seulement le 11 août que le navire
arriva en rade de Fort-de-France. Après avoir
embrassé son oncle et sa tante Tascher, Rose
prit le chemin des Trois-Ilets où elle retrou-
vait les siens — on devine leurs « transports
de joie » — et ses souvenirs d'enfance. Au
bord de la petite rivière Croc-Souris, elle

reprendra ses habitudes d'autrefois, ses promenades, les siestes en hamac et ses bains de
jadis.

Cependant à la lointaine vallée mélancolique de La Pagerie, un peu écrasée par les
mornes environnants, Rose préférait Fort-
de-France, siège du gouvernement de l'île,
où l'oncle Robert Tascher était commandant du port. Les navires du roi jettent souvent l'ancre dans la rade, on reçoit les officiers à l'intendance ou au gouvernement et
Rose écrit à sa tante Renaudin de lui envoyer
« un habit de bal déshabillé de linon » et
une douzaine d'éventails.

Fréquemment, arrive à Fort-de-France le
vaisseau *L'Illustre* qui bat pavillon de
M. de Pontevès-Gien, commandant les îles
Sous-le-Vent, dont l'un des officiers est
Scipion du Roure... assurément amant de
la jolie vicomtesse. Et voilà pourquoi Rose
se plaît davantage à Fort-de-France ! Pourtant la plantation de ses parents serait pour
elle un havre plus paisible, car Fort-de-
France, comme Saint-Pierre, se trouvait alors
en pleine insurrection, répercussion de la
prise de la Bastille et de l'abolition des pri-
vilèges. Les troubles commencèrent par le
refus du vieux gouverneur — M. de Vio-
ménil — d'arborer la cocarde tricolore.

— Je perdrai plutôt mille vies, répondit-il
en pleurant, que de flétrir quarante-deux

ans de bons services, en tolérant ce signal
d'indépendance.

Il dut s'incliner — le 26 septembre 1789 —
et recommander, à contrecœur, de porter
« ce gage de paix, d'union et de concorde ».
On chanta un *Te Deum* et chacun reprit
« son train ordinaire ».

Mais Rose avait appris que son mari, élu
député de la noblesse du baillage de Blois,
avait été l'un des premiers représentants de
son ordre à rallier le Tiers. Fut-elle alors
séduite par les idées nouvelles ? Assurément
non. D'abord parce que ses parents demeu-
raient profondément royalistes — Mme de
La Pagerie, même devenue belle-mère de
Napoléon, le sera encore sous l'Empire... ce
qui ne manque pas de pittoresque — ensuite
parce que, aux Antilles, la révolution de
viendra vite un problème esclavagiste ou
anti-esclavagiste. Puisque les Français de
France acclamaient la liberté, puisque les
planteurs — les grands — résidant en
France, avaient embrassé les idées nouvelles,
les mulâtres libres — affranchis — trouvèrent tout naturel de se réclamer de cette
même liberté. On voulut accorder d'abord
aux mulâtres l'assimilation aux Blancs, et
la qualité de « citoyen et bon serviteur du
roi ». Et l'on demanda, par conséquent, à
tous de « faire société » avec eux. Lorsqu'on
voit, encore aujourd'hui, la plupart des *Békés*

— vieilles familles blanches de l'île — se refuser à recevoir chez eux les sang-mêlé —
ils ne font d'ailleurs pas de distinguo entre
les Noirs et les métis — il est facile d'imaginer les réactions des Martiniquais de 1789.

Et ce fut le chaos.

Le 16 juin 1790, Blancs et mulâtres en
viennent aux mains. Les esclaves noirs en
profitent pour se révolter et parviennent à
occuper le fort et à braquer les canons sur
la ville.

La situation est grave et Rose décide de
quitter l'île. Elle embrasse ses parents et sa
sœur devinant qu'elle ne les verra plus, et
va se réfugier à Fort-Royal. La Pagerie eût
été plus sûre, mais à Fort-Royal se trouve
Scipion du Roure !

Le 3 septembre, on vient annoncer que,
le lendemain, les forts, toujours occupés par
les révoltés, vont tirer sur la ville. Aussi, le
même soir, Mme de Beauharnais, sur les conseils de son oncle, commandant du port, dé-
cide-t-elle d'aller chercher refuge sur la frégate *La Sensible*, commandée par Durand
d'Ubraye, et à bord de laquelle se trouve
Scipion du Roure. « Cédant aux circons-
tances », le navire s'apprête justement à quitter la rade pour la France. Mais les insurgés
n'attendent pas le lendemain pour ouvrir le
feu et, en traversant la Savane — grande
esplanade située devant le port de Fort-

Royal — un boulet tombe près de Rose,
de sa fille et d'Euphémie. Sans autre inci-
dent, ils parviennent à embarquer et, aussitôt, *La Sensible* s'éloigne du port.

Le lendemain, soldats mutinés, mulâtres
et Noirs révoltés sont maîtres de la ville et
ordonnent aux vaisseaux de rentrer au
port. Durand d'Ubraye, qui commande également la station navale, répond en faisant
mettre ses navires à la voile. Les forts ou-
vrent le feu. Durant trois quarts d'heure on
tire à mitraille sur les bâtiments, mais tous
peuvent bientôt se mettre hors de portée.

La traversée fut longue — cinquante-
deux jours. En franchissant le détroit de
Gibraltar, à la suite d'une erreur du pilote,
la frégate manqua s'échouer sur la côte
d'Afrique et se mit à talonner. On mouilla
une ancre et tous — Rose y compris — du-
rent se mettre aux cordages pour tirer la
malheureuse *Sensible* de ce mauvais pas.

A son débarquement à Toulon — le
29 octobre 1790 — Rose apprend qu'elle
est devenue sans le savoir un « personnage ».
Alexandre de Beauharnais n'est pas seulement, en effet, membre influent de l'Assemblée, mais aussi des Jacobins dont il sera un
jour prochain le président, après l'avoir été
— et par deux fois — de la Constituante.
Il est écouté, en dépit de son style ampoulé
et pédant. Il prend la parole à la tribune,

aussi bien sur les Juifs et les inondations, que sur les moines ou les ponts et chaussées. Il croit, en effet, tout savoir.

Scipion du Roure est descendu le premier de la frégate et a loué pour sa maîtresse — et un peu pour lui, je pense — un modeste appartement au 7 de la rue Saint-Roch. Lorsqu'elle quitte Toulon pour Fontainebleau, Rose emprunte à son amant 100 louis, et à un autre officier de marine, Auguste de Meyronnet-Saint-Marc, 80 louis... qui ne seront remboursés que par Mme Bonaparte.

-:-

Deux années ont passé. La royauté s'est effondrée. Beauharnais a crié son républicanisme et en a été récompensé en recevant le grade de général et le commandement de l'armée du Rhin. Il a 60 000 hommes sous ses ordres, mais ne s'est point porté au secours de Mayence et s'est trouvé bientôt obligé de donner sa démission. Il s'est retiré dans le Blésois où « sa tête, affirme-t-il, n'est point oisive, puisqu'elle se fatigue en combinaisons pour le salut de la République... »

Rose, en dépit de la tourmente, mène une existence agréable qu'elle partage entre Paris, Fontainebleau et Croissy. Elle demeure à Croissy dans la maison de campagne de

Mme Hosten-Lamothe. C'est chez cette
créole de Sainte-Lucie aux opinions dites
avancées, qu'elle fait la connaissance de Tallien, fils d'un portier, qui dirige un petit
journal révolutionnaire.

— Ménagez-le, lui a dit Mme Hosten-
Lamothe, on peut avoir besoin de lui.

Joséphine l'a-t-elle ménagé jusqu'à se
donner à cet « amant brutal » dont le visage
est loin d'être sans séduction ? Nous n'en
savons rien... Afin d'obtenir grâces, faveurs,
et aussi de quoi vivre, Rose s'est sans doute
laissée aller dans quelques bras... Sans aucune
preuve on a parlé de Servan, ministre de la
guerre ou du Girondin Barère de Vieuzac,
futur montagnard et ancien constituant. Ré-
pétons-le : aucun document n'a été versé au
débat. La jeune femme est libre, elle aime
l'amour et lorsqu'on lui dit qu'elle est jolie
et qu'elle plaît, elle n'éprouve nulle honte à
donner ce qu'on lui demande. « La facilité
de mœurs de Mme de Beauharnais, a raconté
le témoin de l'époque Albert de Lezai-Mar-
nésia, ses habitudes de galanterie et sa bonté
naturelle attiraient chez elle sans donner
d'ombrages, du moins pour le moment, et
lui donnaient même, par ses nombreuses relations avec plusieurs hommes influents du
temps, les moyens de rendre de nombreux
services. »

S'il faut encore l'en croire, Rose se livrait

alors à un négoce inattendu. Elle « se prê-
tait sans trop de peine aux exigences du
temps ». « Or, poursuit le futur préfet et pair
de France, ce temps voulait que chacun se
fît peuple et même bas peuple, qu'on en affi-
chât le langage et les allures : elle y façonnait
ses enfants qu'elle envoyait sur sa porte pour
se familiariser avec ceux de la rue. Je vois
encore dans le lointain du passé le petit Eugène et sa sœur Hortense offrant aux passants
des bagatelles de toutes sortes à acheter et en
rapportant triomphalement le prix à leur
mère. »

Elle proclame, du moins encore pour
l'instant, ses opinions républicaines. Devant demander à Vadier, président du Comité
de Sûreté générale, la libération de sa belle-
sœur, Marie-Françoise de Beauharnais, elle
lui écrit « avec franchise » et, précise-t-elle,
« en sans-culotte montagnarde ».

Ses opinions politiques sont assurément
assez « à gauche ». Sans doute les problèmes
de l'heure la dépassaient-elle... La future Joséphine attachera toujours plus d'importance
à la couleur d'un ruban ou à la science de ses
amants qu'à la politique. Mais, atteinte
comme il se doit alors de rousseaumanie, elle
élève ses enfants « à la spartiate ».

— J'espère qu'ils seront dignes de la République, dit-elle.

Mme la vicomtesse de Beauharnais est

donc devenue, selon elle, sans-culotte montagnarde ! Qu'on ne lui reproche pas l'expression. Si l'on voulait vivre, il fallait crier avec
les loups et Rose le voulait intensément.
Mais qui semblait républicain le 21 janvier
1793, paraît tiède et réactionnaire un an plus
tard, et Beauharnais commence à être considéré comme un suspect. Sa femme s'adresse
à Vadier : « Alexandre, lui écrit-elle, n'a
jamais dévié de ses principes : il a constamment marché sur la ligne. S'il n'était pas républicain, il n'aurait ni mon estime, ni mon
amitié. Je suis américaine et ne connais que
lui de sa famille, et s'il m'eut été permis de
te voir, tu serais revenu de tes doutes. Mon
ménage est un ménage républicain : avant
la Révolution, mes enfants n'étaient pas dis-
tingués des sans-culottes... Adieu, estimable
citoyen, tu as ma confiance entière. »

Hortense apprend, en effet, la couture
chez « sa gouvernante », la « citoyenne
Lanoi », et le pauvre Eugène a été mis en
apprentissage à la menuiserie du père Co-
chard, agent national de la commune de
Croissy.

Vadier ne sera point ému par la lettre de
la « sans-culotte montagnarde ». Il sera le
premier à signer le mandat d'amener du citoyen Beauharnais. Alexandre a eu beau multiplier dans le Blésois ses actions patriotiques,
il a eu beau clamer son civisme, se faire nom-

mer président des Jacobins de Chaumont et
élire maire de la Ferté-Aurain — ci-devant
Beauharnais — y créer une société popu-
laire et un comité de surveillance révolutionnaire, le ci-devant vicomte est accusé de
n'avoir pas volé au secours de Mayence.

A Strasbourg, au lieu de « s'occuper de la
chose publique » n'a-t-il pas « occupé ses
jours à courtiser les laïs et la nuit à leur
donner des bals ? » Il a beau être défendu
par trois amis de Rose — Réal, Barère et
Tallien — qui ne veulent pas que le général
soit « inculpé vaguement », Alexandre est
arrêté et écroué d'abord au Luxembourg
puis — le 14 mars 1794 — aux Carmes.

Le tour de Rose ne tardera pas.

Une dénonciation anonyme recommande,
en effet, au Comité de Sûreté générale « de
se méfier de la ci-devant vicomtesse Alexandre de Beauharnais, qui a beaucoup d'intelligence dans les bureaux des ministres. Aussi,
le 20 avril, le Comité de Sûreté générale, en-
voie-t-il au 953 de la « rue Dominique »,
section de la fontaine Grenelle, deux de ses
membres avec mission de perquisitionner
et d'examiner les papiers qu'ils pourraient
trouver chez la suspecte. Ils mettent l'appartement sens dessus dessous et découvrent
« sur un tiroir du secrétaire qui est dedans
un petit cabinet qui est attenant audit ap-

partement » et « sur deux armoires qui sont dans un grenier » la correspondance et les effets que le ci-devant général de Beauharnais a confiés à sa femme. Les deux membres du Comité révolutionnaire de la section des Tuileries — les citoyens Lacombe et George se mettent à lire les pièces et estiment que « après la recherche la plus scrupuleuse », ils n'ont « rien trouvé de contraire aux intérêts de la République, au contraire une multitude de lettres patriotiques qui ne peuvent faire que l'éloge de cette citoyenne. »

Tout émue, Rose signe le procès-verbal en faisant un gros pâté sur l'*i* de Beauharnais. Les pas des gardes nationaux décroissent dans la « rue Dominique » et la jeune femme se remet à espérer. Mais, le lendemain matin, à la toute première heure, George, flanqué d'un autre membre du Comité — le citoyen Elie Lafoste — n'en viennent pas moins l'arrêter.

Rose ne veut pas que l'on réveille Eugène et Hortense et les embrasse lorsqu'ils sont encore profondément endormis en confiant leur sort à leur gouvernante — Mlle de Lanoy — et à la fidèle Euphémie. Puis, encadrée de gendarmes, la future impératrice prend le chemin de la rue de Vaugirard où se trouvent les Carmes. Arrivés à la prison, Elie Lafoste tend au concierge le mandat d'arrêt lui ordonnant de recevoir

« la citoyenne Beauharnais, femme du général, suspecte aux termes de la loi du 17 septembre dernier, pour y être détenue jusqu'à ce qu'il en soit autrement ordonné et par mesure de sûreté générale. 2 floréal ; l'an II de la République une et indivisible ».

-:-

Les Carmes ! Trois syllabes qui ont un étrange pouvoir d'évocation. Dans cet ancien monastère, des religieux — les carmes déchaussés — fabriquaient, en des temps plus heureux, de l'eau de mélisse ou le fameux *blanc des carmes*, une peinture immaculée d'un brillant comparable à celui du marbre. C'est là que s'étaient déroulées les scènes peut-être les plus atroces des massacres de septembre.

Le décor du 70, rue de Vaugirard, n'a aujourd'hui pas changé. On peut encore gravir — comme le fit Rose en entrant dans sa prison — le petit perron où avaient été massacrés, vingt mois auparavant, 76 prêtres, ce petit perron donnant sur le jardin où les tueurs poursuivirent leurs victimes. Sans doute ferma-t-elle les yeux d'horreur après avoir regardé les traces sanglantes laissées par les sabres que les massacreurs avaient déposés contre la muraille leur « travail » terminé.

Elles s'y trouvent toujours... Au lendemain
de la tuerie, les Carmes étaient devenues,
durant neuf mois, le *bal public des Tilleuls*,
avant de redevenir maison de détention.

La nouvelle prisonnière a aussitôt abandonné son ton de « sans-culotte montagnarde ». Ici, cadre excepté, elle pourrait se
croire revenue au temps de Panthémont.
Rose se trouve placée dans un dortoir de
18 lits. Ses voisines les plus proches sont
Mme de Custine et Mrs Eliott, qui a été la
maîtresse de Philippe Egalité. Rose fait sa
conquête. « C'est une des femmes les plus
accomplies et les plus aimables que j'aie
jamais rencontrées, dira-t-elle. Les seules petites discussions que nous avions ensemble
roulaient sur la politique ; elle était ce qu'on
appelait constitutionnelle au commencement
de la Révolution, mais elle n'était pas le
moins du monde jacobine, car personne n'a
plus souffert qu'elle du règne de la Terreur et de Robespierre. »

Les détenues font toutes leur lit, mais
seules Mme de Beauharnais et ses deux
compagnes — devenues trois amies — la-
vent la chambre. « Les autres prisonnières
ne s'en donnaient guère la peine », rapporte Mrs Eliott.

Lorsque teinte la sonnette agitée par un
porte-clefs, toutes les détenues sortent de
leur cachot et se dirigent vers le réfec-

toire où leur est servi un repas composé des restes de leurs compagnons, car ceux-ci mangent les premiers. Selon certains, la nourriture est correcte, selon d'autres, la viande semble douteuse et les œufs paraissent avoir été pondus sous l'Ancien Régime. Le repas terminé, le couvert enlevé, le réfectoire devient salon. Les hommes, revenus dans la pièce, font de l'esprit, ou bien la roue. On conte fleurette. On cause, on papote...

La première personne qui a baisé la main de Mme de Beauharnais est Alexandre, qu'elle a retrouvé aux Carmes. Il est alors amoureux fou de Delphine de Custine, aux cheveux d'une étonnante blondeur, et aux yeux clairs d'aigue-marine, qui occupe le lit voisin de celui de Rose. Le mari — le pauvre général de Custine — vient de mourir sur l'échafaud.

Le soir venu, lorsque les hommes et les femmes sont séparés et qu'il faut réintégrer les affreux cachots, Delphine montre à Joséphine les billets enflammés que lui adresse Alexandre : « Faut-il mon sang ? Je le verserai avec plaisir s'il peut, en coulant pour toi, allumer le tien et imbiber plus fortement mon image dans ton souvenir... » Assurément Alexandre n'a jamais écrit de cette encre-là à sa femme...

Ce serait mal connaître Rose que de
s'imaginer qu'elle va se contenter d'être la
confidente de Delphine. Aux Carmes vont
se nouer ses amours avec le glorieux général Hoche qu'Alexandre lui a présenté, qui
occupe une prison voisine et se trouve obligé
de traverser le « dortoir » de Rose pour
monter les quinze marches de sa cellule.

De quelle manière contait-on fleurette en
floréal de l'an II ?

Rose, le matin, alors que les détenus sont
encore enfermés, à l'aide d'un miroir, envoie un éclair de soleil dans le recoin obscur
servant de cachot au général ; autant de ta-
ches de lumière venant successivement
éclairer la geôle, autant de têtes tombées la
veille dans le panier du bourreau. C'est
ainsi que commença l'un des deux grands
amours de Joséphine, l'autre étant celui qui
la liera au capitaine Charles. Pour ses deux
maris son cœur battra assurément bien différemment...

Rose est âgée de trente et un ans, Lazare
Hoche a cinq ans de moins. Grand, musclé,
le visage franc, balafré — ce qui, on le sait,
plaît à certaines de nos compagnes — il a
le verbe haut. Son père a été palefrenier
aux écuries de Louis XVI et lui-même, avant
d'entrer comme volontaire aux gardes françaises, a étrillé les chevaux du roi. Hoche,
cependant, a été policé par son frère de lait,

le général Le Veneur. De ce gaillard qui a
sauvé Dunkerque et l'Alsace, se dégage une
impression de force dont la créole ressent un
ardent besoin. En le voyant on ne peut
s'imaginer que la tuberculose l'emportera
dans trois années...

Le mois précédent, le 11 mars, Hoche a
épousé une jeune fille de seize ans. Envoyé
d'abord de Thionville à Nice, puis arrêté,
Lazare a été séparé de « l'ange de sa vie »,
de sa chère Adélaïde, après seulement huit
jours de lune de miel. Dès qu'il fait la connaissance de Rose il semble supporter la
prison avec bonne humeur et moins souffrir
d'avoir dû quitter son « épouse chérie et
tendre ».

« Ma santé est bonne, écrit-il à un ami,
toujours gai, joyeux et innocent. Rien n'est
agréable comme un bon dîner quand on a
faim... Vive la République ! » Bien sûr,
après avoir commandé un repas gastronomi-
que, il ajoute : « Envoie-moi le portrait de
ma femme avec mon dîner », mais il semble
toutefois ne pas avoir attendu sa libération
pour oublier Adélaïde dans les bras de Rose.
Leurs amours durèrent alors seulement
vingt-six jours. Hoche sera envoyé à la Conciergerie où il se consolera d'être séparé, à
la fois de Rose et d'Adélaïde en commençant
avec une personne à la vertu facile des nouvelles amours de derrière les barreaux. C'est

plus tard que les choses entre Mme de Beauharnais et le beau général Hoche, prendront
un tour plus passionné. Quant à Rose, elle
a trouvé un nouveau « consolateur » — c'est
ainsi qu'elle le nomme elle-même — en la
personne du « général » Santerre, ce bras-
seur hâbleur qui avait conduit Louis XVI à
l'échafaud et prétendait avoir ordonné le
fameux roulement de tambours qui avait
coupé la parole au malheureux roi. Ce bras-
seur, qui ne possédait « de Mars que la
bière », avait été moins brillant à l'armée de
l'Ouest, où il avait commandé des volon-
taires loqueteux et débraillés qui, leur général à leur tête, avaient fui « en un élan furieux » à la première attaque des Chouans.

Que l'on ne se méprenne pas sur le terme
de « consolateur » employé par Rose. Les
deux compagnes de cellule de l'ex-vicomtesse : la duchesse d'Aiguillon et Mme de
Custine l'appelaient de même.

Dès qu'il le peut, Alexandre vient retrouver sa blonde maîtresse... et sa femme.
S'il faut en croire Mme Eliott, M. et Mme de
Beauharnais avaient pu obtenir une petite
chambre particulière. Si le fait est exact, gageons que cette commodité favorisa les
amours d'Alexandre pour Delphine, et celles de Rose pour Hoche... Quoi qu'il en soit,
Beauharnais parle souvent à sa femme de
leurs enfants. Ils sont à la base des conver-

sations entre Rose et son mari. Ils leur envoient alors des lettres communes : « Ma chère petite Hortense, écrivait Rose, il m'en coûte d'être séparée de toi et de mon cher Eugène ; je pense sans cesse à mes deux chers petits enfants que j'aime et que j'embrasse de tout mon cœur. » Puis Alexandre prenait la plume, et traçait ces lignes moralisatrices : « Pense à moi, mon enfant, pense à ta mère, donne des sujets de satisfaction aux personnes qui prennent soin de toi et travaille bien. C'est par ce moyen, c'est par l'assurance, que tu emploies bien ton temps que nous aurons plus de confiance encore dans tes regrets et dans tes souvenirs. Bonjour mon amie ! Ta mère et moi sommes malheureux de ne te point voir. L'espérance de te caresser bientôt nous soutient et le plaisir d'en parler nous console. »

Hortense et Eugène se rendaient chaque jour aux Carmes et, au début, réussirent à voir leurs parents. Mais, la future reine de Hollande le racontera, « l'entrée de leur prison nous fut interdite et bientôt la correspondance défendue. Nous crûmes y suppléer par ces mots, mis au bas d'une liste d'effets : « *Vos enfants se portent bien* », mais le concierge poussa la barbarie jusqu'à les effacer. Pour dernière ressource, nous prîmes soin de copier nous-mêmes cette liste, chacun à notre tour et, au moins, en

voyant notre écriture, nos parents savaient
ainsi que nous existions. « Le petit carlin
de Rose — Fortuné, au caractère hargneux
mais serviable — sert pendant un temps de
facteur : il peut pénétrer dans la prison et
transporter des billets dans son collier...

Calmelet, ami d'Alexandre, homme d'affaires dévoué de Rose s'occupe de la déli-
vrance des Beauharnais. Il fait signer aux
enfants cette pétition destinée à la Convention : « D'innocents enfants réclament auprès de vous la liberté de leur tendre mère,
de leur mère à qui l'on n'a pu rien reprocher que le malheur d'être entrée dans une
classe à laquelle elle a prouvé qu'elle se
croyait étrangère puisqu'elle ne s'est jamais
entourée que des meilleurs patriotes, des
plus excellents montagnards. Ayant demandé
son ordre de passe pour se soumettre à la
loi du 28 germinal, elle fut arrêtée sans en
pouvoir pénétrer la cause. Citoyens représentants, vous ne laisserez pas opprimer l'in-
nocence, le patriotisme et la vertu. Rendez
la vie, citoyens représentants, à de malheureux enfants. Leur âge n'est point fait pour
la douleur. » Calmelet commet cependant
la maladresse de faire adresser par Hortense
et Eugène, au Comité de Sûreté générale,
une pétition demandant que leur mère soit
jugée : « Quand on n'a point à redouter le
jugement, on brûle qu'il soit rendu... »

C'était là de la dernière imprudence. En ces temps où régnait la folie mieux valait se faire oublier.

Un jour, une femme inconnue se présente rue Saint-Dominique au nom de Rose et emmène mystérieusement Hortense et Eugène rue de Sèvres. Ils traversent un jardin et la dame fait monter les enfants au premier étage de la maison du jardinier. Là, elle les mène à la fenêtre. En face se trouve un bâtiment gris et sale : les Carmes, dont une fenêtre s'ouvre : « Mon père et ma mère y parurent, racontera Hortense. Pleine de surprise et d'émotion, je jetai un cri ; j'étendis les bras vers mes parents ; ils me firent signe de me taire, mais une sentinelle, placée au bas du mur, nous avait entendus et appela. L'inconnue nous emmena alors promptement. Nous sûmes, depuis, que la fenêtre de la prison avait été murée impitoyablement. Ce fut la dernière fois que je vis mon père. »

Beauharnais sentant, lui aussi, qu'il ne reverra peut-être plus Hortense et Eugène, multiplie les pétitions. « Si la liberté que j'ai constamment servie, m'est rendue, promet-il, je n'en veux faire usage que pour augmenter dans le cœur de mes enfants la haine des rois... », de ces enfants qui coifferont un jour, chacun une couronne. Et presque tous les petits-enfants de ce « vrai sans-

culotte républicain », ainsi que le qualifient
les habitants de la Ferté-Aurain en récla-
mant leur maire au Comité, s'assiéront sur
les trônes...

Ce n'est point pour avoir laissé prendre
Mayence que va périr le général de Beauharnais. Les têtes tombent alors comme des
ardoises par jour de grand vent. En ce début
de thermidor, fin juillet 1794, la Terreur
est à son apogée. L'usine de Fouquier a mis
au point un nouveau procédé de fabrication :
la conspiration des prisons destinée à vider
les maisons d'arrêt trop encombrées : Un
barreau d'une fenêtre de Saint-Lazare avait
été scié afin de faire croire que les détenus
cherchaient à s'évader, non pour prendre la
clef des champs, mais pour « aller assassiner
les membres du Comité ». Ailleurs, les prisonniers se trouvèrent accusés d'avoir re-
cherché la compagnie des nobles avec lesquels ils se trouvaient enfermés... Et les voici
accusés de vivre avec les ennemis de la République ! C'est ainsi que, le 22 juillet, un
huissier du tribunal vint interroger 49 loca-
taires des Carmes avant de les conduire à la
Conciergerie.

Alexandre se trouve du nombre.

Il se précipite vers Delphine et lui remet
la bague arabe qu'il porte à son doigt, mais
il craint les pleurs de Rose et se contente de

lui écrire : « Toutes les apparences de l'espèce d'interrogatoire qu'on a fait subir aujourd'hui à un assez grand nombre de détenus, sont que je suis victime des scélérates calomnies de plusieurs aristocrates soi-disant patriotes de cette maison. La présomption que cette infernale machination me suivra jusqu'au Tribunal révolutionnaire ne me laisse aucun espoir de te revoir, mon amie, ni d'embrasser mes chers enfants. Je ne te parlerai donc point de mes regrets ; ma tendre affection pour eux, *l'attachement fraternel qui me lie à toi,* ne peuvent te laisser aucun doute sur le sentiment avec lequel je quitterai la vie sous ce rapport. »

Le lendemain 5 thermidor, 23 juillet, Alexandre, en compagnie de petits commerçants, des princes de Rohan-Montbazon et de Salm, du chevalier-journaliste de Champcenez, et du député Gouy d'Arcy, monte avec courage à l'échafaud.

5 thermidor ! Trois jours plus tard, il échappait à la mort...

Prostrée sur son lit, Rose n'ose plus bouger. Même les plaisanteries de ce joyeux luron de Santerre ne parviennent pas à la faire sortir de sa torpeur. Ce n'est pas tant à Alexandre qu'elle pense, mais à elle-même. Un fait n'est point pour la tranquilliser : la prison continue à se vider... Allait-elle de-

voir suivre son mari et gravir à son tour
l'échelle de Sanson ? Elle est en droit de le
croire et devant la mort, la petite créole n'a
guère de courage. Elle passe ses journées à
se tirer les cartes en cachette ou à pleurer
devant tout le monde « au grand scandale
de ses compagnons », nous dit un prison-
nier, car il est de mauvais ton de trembler en
évoquant la dernière charrette. Les larmes
ne sont permises que sans témoin.

Fort heureusement Charles La Bussière
était là.

Auteur dramatique, comédien des petits
théâtres du boulevard du Temple, ce scribe
du Comité de Sûreté générale, pour arracher
à la mort les clients de Fouquier-Tinville,
s'était fait *mâcheur* de dossiers. Chargé de
leur classement et ne pouvant emporter les
liasses chez lui au risque d'être pris, l'héroïque personnage les déchirait en petits mor-
ceaux et les avalait !... Admirant la Comé-
die-Française, c'est par les affaires des comédiens du Théâtre-Français qu'il commença
ses « sauvetages ». Je ne pense pas que
l'opération le mit en appétit mais elle ne dut
pas trop lui peser sur l'estomac puisqu'il
avala, paraît-il, 1 200 dossiers ! Avait-il connu
Rose ? Un des amis de Mme de Beauharnais
était-il venu, lui demander de sauver la prisonnière ? Toujours est-il que, sans craindre
l'indigestion — il le racontera plus tard — il

mangea et digéra le dossier qui aurait permis à Fouquier-Tinville d'envoyer la femme de l'ex-président de la Constituante rejoindre son mari (1).

Deux jours après l'exécution d'Alexandre, une femme ravissante, d'une beauté à séduire tous les hommes, envoie de sa prison, à son amant Tallien, ce fameux billet : « L'administrateur de police sort d'ici ; il est venu m'annoncer que demain je monterai au tribunal, c'est-à-dire à l'échafaud. Cela ressemble bien peu au rêve que j'ai fait cette nuit. Robespierre n'existait plus et les prisons étaient ouvertes ; mais, grâce à votre insigne lâcheté, il ne se trouvera bientôt plus personne en France capable de réaliser mon rêve. »

Elle se nommait Theresia Gabarrus et, comme Rose, vivait séparée de son mari, Jacques Devin de Fontenay, à la noblesse tout aussi discutable que celle du feu vicomte Alexandre de Beauharnais. Pour sauver de la mort cette divinité, Tallien va avoir le suprême courage d'attaquer Robespierre. Aussi un matin, quatre jours après la mort d'Alexandre, une détenue vit de la fenêtre

_____

(1) La Bussière tomba dans la misère — être mâcheur de dossiers ne nourrit point son homme... — aussi, sous le Consulat, une « représentation à bénéfice » du comédien auteur fut-elle donnée à son profit à la Porte-Saint-Martin. Joséphine s'y rendit avec Bonaparte et paya sa loge cent pistoles.

de sa cellule donnant sur la rue, une femme se livrer à une mimique qui lui parut tout d'abord incompréhensible : « Elle prenait à tout moment sa robe, conta-t-elle, sans que nous sussions ce que cela voulait dire. Voyant qu'elle continuait, je lui criai : *Robe ?* Elle fit signe que oui. Ensuite, elle ramassa une pierre, la mit dans son jupon qu'elle me montra de nouveau en élevant la pierre de l'autre main : *Pierre ?* lui criai-je encore. Sa joie fut extrême en étant sûre que nous comprenions. Enfin, unissant sa robe à la pierre, elle fit plusieurs fois avec vivacité le mouvement de se couper le cou et se mit ensuite à danser et à applaudir. Cette singulière pantomime nous causait une émotion impossible à exprimer puisque nous osions penser qu'elle nous apprenait la mort de *Robespierre*. »

La nouvelle court la prison.

Rose apprend que la Terreur est finie grâce à Tallien, à son ami Tallien. Elle reprend espoir. Assurément, Tallien et Hoche — libéré le 4 août — vont tout faire pour lui ouvrir les portes des Carmes. Déjà, la future Mme Tallien — que tout Paris appelle maintenant *Notre-Dame de Thermidor* — est allée, sitôt libérée, tranquilliser Hortense et Eugène sur le sort de leur mère.

Aux Carmes, le soir du 6 août, un nom est crié par un guichetier.

La veuve Beauharnais !

C'est la libération !

Les prisonniers applaudissent en apprenant que cette jolie veuve qui tremblait toute et pleurait avec tant de charme, va retrouver ses enfants... et son amant « premier général de la République ».

Rose, elle, s'est évanouie de joie.

Ce même 19 thermidor, le représentant aux armées Salicetti dénonçait le général commandant l'artillerie de l'armée d'Italie, le Corse Buonaparte, ami d'Augustin Robespierre, « son faiseur de plan, auquel il nous fallait obéir »... Salicetti qui avait pourtant découvert le « capitaine instruit » Bonaparte, l'avait placé à la tête de l'artillerie de Toulon, et nommé chef de bataillon, puis général !

Trois jours plus tard, le 9 août, le futur mari de Rose était mis en accusation. « Il se jugeait perdu », nous dit un témoin qui n'était autre que M. Laurenti chez qui logeait le jeune général, un riche commerçant niçois qui avait refusé d'accorder la main de sa fille à cet officier sans fortune. En le voyant aujourd'hui compromis, mis aux arrêts de rigueur, un factionnaire à sa porte, M. Laurenti dut assurément se féliciter d'avoir pris sa décision...

S'il avait su...

Mais l'éblouissant destin était réservé à Rose qui, avant de devenir Joséphine, allait mener plus d'une année l'existence de veuve joyeuse...

3

LA VEUVE JOYEUSE

Dans les bras de Hoche, la jolie créole est heureuse. Elle découvre le grand amour ! Ah, si le brave général pouvait quitter Adélaïde, sa toute jeune femme ! S'il pouvait divorcer à son profit ! Elle y pense sérieusement en ces temps difficiles. La fortune des Beauharnais a été dispersée par la tourmente et il ne faut point espérer recevoir encore des rentes régulières de la Martinique. Pourtant, l'époque exige d'aimer pour oublier le cauchemar. Rose aime vraiment pour la première fois, Lazare est vite attaché à elle par des liens sensuels, mais — et il l'aurait dit brutalement :

— On peut bien se passer un moment une catin pour maîtresse, mais non la prendre pour femme légitime.

Il aurait même déclaré à Barras :

— Il faut avoir été en prison, avant le 9 Thermidor, avec elle, pour l'avoir pu connaître aussi intimement ; cela ne serait plus pardonnable quand on est rendu à la liberté.

Dépit amoureux, car, rendu à cette liberté, Hoche continuera à connaître « intimement » sa maîtresse des Carmes, et durant une année et demie... Il l'aimera avec infiniment de passion — nous le savons par ses lettres — et nous voilà loin du « moment » reconnu par Hoche qui, en l'occurrence, se souvenait avoir été palefrenier... Seule « la tendre estime » qu'il portait à « sa jeune et vertueuse femme » l'empêchera de divorcer. Il aime sa maîtresse, en dépit de l'argent qu'elle lui coûte. Il a emmené avec lui Eugène de Beauharnais, le fils de Rose, comme jeune volontaire et « apprenti aide de camp ». Sa maîtresse lui écrit trop rarement et il se plaint en ces termes : « Je désespère de ne recevoir aucune réponse de la femme que j'aime, de la veuve dont je suis habitué à considérer le fils comme le mien. »

Il souffre d'être séparé d'elle, mais encore plus de la savoir courtisée et adulée. La « vanité » qui, selon lui, remplit maintenant le cœur de Rose, ses « coquetteries » lui font une peine infinie :

« Il n'est plus de bonheur pour moi sur la terre, écrit-il à un ami. Je ne puis aller à

Paris, tu le sais, pour voir la femme qui cause tous mes chagrins. »

Pour l'instant, « la femme qui cause tous ses chagrins » vit intensément. Comme tous ceux qui viennent d'échapper au cauchemar elle veut s'étourdir. Le bruit des violons doit l'empêcher d'entendre, dans son souvenir, la sinistre voix aboyant, le soir venu, les noms de ceux que l'on appelait pour leur rendez-vous avec la mort. Il eût fallu être une sainte pour résister à ce délire collectif, à cette joie malsaine, et Rose ne l'était point. Puisque, non sans mal, on a acquis la liberté, n'a-t-on pas le droit de faire ce qui convient et de participer à cette course à la licence ? La future Joséphine venait d'échapper à la plus affreuse des morts et, comme tous ceux qui s'étaient trouvés logés à l'enseigne de la guillotine, elle désirait vivre intensément. De plus, ses goûts cadraient si bien avec ceux de l'époque, avec ces temps où seuls comptaient l'amour, la beauté, la joie de se parer chaque jour différemment, de dépenser sans songer au lendemain, et cela pour chasser à jamais le cauchemar, mais aussi pour ne pas voir la misère qui l'entoure...

Il faut vivre !

La grande amie de Rose est alors Thérésia, l'éclatante, l'éblouissante maîtresse — et bientôt femme — de Tallien. Celle dont le

marquis de Sade disait : « Elle est tout feu et
tout amour. » La célébrité de Thérésia re-
jaillit sur son amie Rose. La légende a fait
de la maîtresse de Tallien Notre-Dame de
Thermidor. On connaît son rôle à Bordeaux
où elle a sauvé du couperet national de
nombreux aristocrates ; on sait que grâce à
son célèbre billet Tallien a abattu le « tyran », a fait cesser la Terreur, et un hom-
mage éperdu de reconnaissance monte vers
elle, et vers celui qu'elle n'a pu faire autrement qu'épouser. Vers Rose aussi, la meilleure amie du couple ! Vers Rose, marraine
de la petite fille que Mme Tallien a mis au
monde en sortant du théâtre Feydeau, une
petite fille — Thermidor-Rose-Thérésia —
qui symbolise le merveilleux renouveau.

Le renouveau consiste d'abord à danser à
perdre haleine. Quelle joie de se laisser emporter dans les bras de ses danseurs ! Et c'est
pour Rose une vraie veillée d'armes que les
préparatifs d'un bal, témoin ce billet envoyé
par elle à Thérésia :

« Il est question, ma chère amie, d'une
magnifique soirée à Thélusson ; je ne vous
demande pas si vous y paraîtrez. Je vous
écris pour vous prier de vous y rencontrer
avec ce dessous fleur de pêcher que vous
aimez, que je ne hais pas non plus ; je me
propose de porter le pareil. Comme il me
paraît important que nos deux parures

soient absolument les mêmes, je vous préviens que j'aurai sur les cheveux un mouchoir rouge, noué à la créole, avec trois crochets sur les tempes. Ce qui est bien hardi pour moi est tout naturel pour vous, plus jeune, peut-être pas plus jolie, mais incomparablement plus fraîche. Vous voyez que je rends justice à tout le monde. Mais, c'est un coup de parti. Il s'agit de désespérer les *Trois Bichons* et les *Bretelles Anglaises*. Vous comprenez l'importance de cette conspiration, la nécessité du secret et l'effet prodigieux du résultat. A demain, je compte sur vous. »

Ces bichons et ces bretelles anglaises devaient être quelques jeunes gens « à la mode » appréciés par les deux amies... Le bal Thélusson ! C'est là que se déroulait le *Bal des Victimes* ! On y saluait sa danseuse « à la victime », c'est-à-dire en imitant le mouvement d'une tête s'engageant dans la lunette conçue par ce trop bon docteur Guillotin qui avait déclaré un beau matin — cela se chantait — que pendre était inhumain...

Sans doute Rose n'a-t-elle plus l'éclat de ses vingt ans, mais elle est si adroite pour se maquiller, coiffer ses longs cheveux soyeux, qu'elle attire bien plus aujourd'hui qu'autrefois les regards des hommes. Elle connaît l'art de marcher, de s'asseoir, de s'étendre en mettant en valeur sa grâce langoureuse de

créole, l'art de savoir poser sur ceux qu'elle
veut séduire son regard « irrésistible » en le
laissant filtrer à travers les cils recourbés de
ses yeux « de biche », remontant naturelle-
ment vers les tempes. « Belle dans la joie
comme dans la douleur », nous dit un témoin. Elle sait si bien parer son corps « mo-
delé avec une rare perfection », si joliment
faire chanter sa voix en faisant à peine sen-
tir les *r*, comme le font les créoles — ce qui
commence au surplus d'être à la mode —
elle possède une peau mate, mais si
« éblouissante de finesse », qu'elle peut ri-
valiser avec les plus jolies femmes de son
temps. L'époque est loin de la desservir.
Réaction inévitable après la simplicité excessive voulue par la Révolution : les femmes
se débondent et Rose se laisse aller à la joie
de la parure.

On se déshabille... Et les chemises volent,
comme les bonnets, par-dessus les moulins ! Malheureusement on n'est point ici
à la latitude d'Athènes et, en faisant « galo-
per leurs attraits », les « demoiselles sans
chemises » voient s'abattre sur elles rhumes
et bronchites.

Rose adopte cependant, le cœur battant,
le procédé qui « tend à rehausser l'éclat du
lis d'un beau sein et à couronner le bouton
de rose qui en est l'ornement naturel ». Il
s'agit de placer « en sautoir sur le cœur »

un velours noir, et de l'agrafer sur le sein gauche. Comme la robe est transparente on « aperçoit très distinctement » le velours qui « fait remarquer l'incarnat du bouton de rose au travers de la tunique ». Rose peut se permettre cette extravagance quoi qu'en dira Barras plus tard qui parlera de la « décrépitude précoce » de la future impératrice. Il me paraît préférable de croire Bonaparte lorsque, extasié, il décrira deux ans plus tard, « le petit sein blanc, élastique, bien ferme ».

Rose est seule, elle a deux enfants à élever et point de mari. Peut-on lui reprocher d'avoir essayé de trouver des protecteurs influents et riches ? Cette petite créole se trouve désarmée devant la vie... C'est là sa faiblesse, et — hors l'amour — rien d'autre ne compte. La nature ne l'a-t-elle point « bâtie de dentelle et de gaze », comme le dira Bonaparte ?

Mais les amants ne suffisent souvent pas — il faut tant d'argent pour vivre ! — et la future impératrice se livre au commerce. Paris est en effet devenu une gigantesque friperie et Rose se trouve obligée, elle aussi, de vendre ce dont elle peut se défaire sans trop de dommage. On la voit placer des bas et des pièces de lingerie parmi les femmes de son entourage. Spécule-t-elle aussi ? On la verra plus tard, bien que devenue la

générale Bonaparte, tremper dans des affaires
de fournitures, et il est bien possible qu'en
sortant de prison elle ait été dans l'obligation de se livrer, comme tout le monde, au
« négoce ». Peut-être a-t-elle vu s'amonceler
des barriques de vin dans sa chambre à
coucher et des pains de savon ou de sucre
dans son salon...

Il serait évidemment préférable d'avoir un
protecteur puissant. Hoche est reparti vers
sa jeune femme et la citoyenne de Beauharnais songe à faire venir Barras chez elle. Barras qui, avec Tallien est assurément le membre le plus puissant de la Convention, le
« grand profiteur » du coup de hache de
thermidor en attendant d'être un jour directeur, l'un des cinq « rois » de la France du
Directoire. Elle lui écrit ce billet au début
de l'année 1794 : « Il y a bien longtemps
que je n'ai eu le plaisir de vous voir. C'est
bien mal à vous d'abandonner ainsi une ancienne connaissance. J'espère que vous serez
sensible à ce reproche... »

Barras viendra la voir bien sûr... mais pas
assez au gré de Rose qui le relancera au mois
de février par cet autre billet : « Dites à
Barras que je suis depuis trois jours dans mon
lit malade d'un rhume, que c'est bien mal à
lui de n'être pas venu me voir et qu'il faut
être bien son amie pour le lui pardonner. »

Rose sera la maîtresse de Barras. Elle ne

l'aime évidemment pas. On ne peut aimer le
vicomte — régicide — Paul de Barras qui
est peut-être intelligent, beau, élégant, séduisant d'allure, brave, raffiné et qui possède de l'esprit, mais n'en est pas moins le
plus affreux des pourris.

C'est chez Barras qu'elle dîne le soir du
13 vendémiaire. De sa bouche, elle apprend
comment la Convention a été sauvée et les
royalistes mitraillés, ce même jour, sur les
marches de Saint-Roch, par ce petit Bonaparte placé sous ses ordres et que la jolie
veuve joyeuse a sans doute rencontré à la
Chaumière, chez les Tallien. Les familiers
de la belle Thérésia sont les seuls à pouvoir répondre lorsque les gens demandent
d'où sort cet inconnu aux cheveux mal pou-
drés, pendant « en oreilles de chien » de
chaque côté de sa maigre figure, au teint
jaune, cet inconnu aux bottes éculées, au prénom encore jamais entendu, et au nom difficile à orthographier car son propriétaire le
prononce *Buonaparté*, c'est d'ailleurs ainsi
que l'écrira le *Moniteur* du lendemain.

S'il venait voir Notre-Dame de Thermidor,
c'est d'abord parce qu'il lui faisait la cour.
« Mme Tallien était alors jolie à croquer,
dira-t-il à Sainte-Hélène ; on baisait volon-
tiers ses bras et ce qu'on pouvait... » Il la
voyait aussi parce qu'il aurait bien voulu obtenir, grâce à elle, une culotte d'uniforme,

ce qui était quasi impossible car il n'avait
pas de commandement et le drap n'était accordé qu'aux officiers en activité. Il s'était
enhardi et avait exposé à Mme Tallien ses
soucis vestimentaires. Thérésia avait trouvé
plaisant de s'occuper de l'affaire et, quelques
jours plus tard, elle avait accueilli le malheureux en lui lançant ces mots à travers le salon :

— Eh bien, mon ami, vous les avez vos
culottes !

Le futur empereur s'en souviendra plus
tard.

Rose, comme tout le monde, s'étonne !
Ainsi c'est ce pauvre hère qui a sauvé le régime et va devenir Commandant en chef de
l'armée de l'Intérieur ? En cette qualité, il
rend d'ailleurs à Eugène de Beauharnais l'épée
de son père et le lendemain, Rose vient le
remercier. Sans doute, dès le surlendemain,
le général va lui faire une visite dans le délicieux hôtel de fille entretenue de la rue
Chantereine où Mme de Beauharnais s'est
récemment installée.

Au début, il semble fuir cette jolie femme
qui le poursuit presque... Est-ce parce qu'il
sait que Rose est la maîtresse de Barras ? Est-
ce parce que ses occupations militaires l'ab-
sorbent ? De toute façon, s'il la trouve trop
jolie, si la manière « ancien régime » avec la-

quelle elle le reçoit le charme infiniment, il n'est pas encore amoureux.

A moins qu'une certaine timidité le cloue devant cette vicomtesse élégante. Aime-t-il ailleurs ? Il est presque fiancé avec Désirée Clary, belle-sœur de son frère Joseph... mais Mme Clary aurait déclaré, ce qui ne manque pas de piquant :

— J'ai bien assez d'un Bonaparte dans ma famille !

Désirée — elle sera reine de Suède et de Norvège un jour — aime son fiancé. Bonaparte lui avait recommandé : « Je t'en conjure, ne passe pas un jour sans m'écrire, sans m'assurer que tu m'aimes toujours. » Mais tout cela va être balayé. Poussée peut-être par Thérésia, Rose envoie à Bonaparte ce billet célèbre destiné à « relancer » celui qui semble l'avoir oubliée :

« Vous ne venez plus voir une amie qui vous aime ; vous l'avez tout à fait délaissée ; vous avez bien tort, car elle vous est tendrement attachée (sic).

Venez demain septidi déjeuner avec moi. J'ai besoin de vous voir et de causer avec vous sur vos intérêts.

Bonsoir, mon ami, je vous embrasse.

Veuve Beauharnais. »

S'il ne s'agit pas d'un complot entre les deux amies, quels sentiments poussent Rose ?

Sans doute pense-t-elle à ce que lui a dit un jour son ami Ségur :

— Ce petit général pourrait devenir un grand homme ?

Assurément « possédait-elle » déjà Barras — l'un des cinq rois de la République depuis le 30 octobre — Barras qui passait à l'époque pour un grand homme. Mais elle ne pouvait ignorer que ce « protecteur » ne la « protégerait » que provisoirement. Il lui fallait mieux : quelqu'un qui puisse faire face à ses dépenses — ce tonneau des Danaïdes de notre chère créole... Et puis elle trouve Bonaparte drôle — elle prononçait *drolle* de sa voix chantante de fille des îles. Et ce fameux septidi, Rose, avec adresse, lui fait d'abord comprendre qu'il n'y a rien qu'une grande amitié entre Barras et elle. Tout ce que l'on dit n'est que calomnie ! Le naïf petit général est déjà prêt à tout croire...

Il revient plusieurs fois rue Chantereine, en dépit de la présence du carlin Fortuné qui, jaloux, aboie et veut mordre l'intrus. Le luxe — un luxe tout extérieur de demoiselle à la vertu légère — l'éblouit. Il admire tout aussi bien la manière exquise qu'elle a de recevoir, de dire à chacun exactement ce qu'il faut dire, le tact avec lequel elle conduit une conversation ou sa façon de préparer le café qu'elle lui sert elle-même... « Un café de la Martinique que sa mère lui

envoie de leurs plantations. » Il ne se doute
pas qu'il n'y a ici que des dettes, que les domestiques sont rarement payés, les fournisseurs encore moins, et que Rose possède infiniment plus de robes et de châles que de chemises et de jupons ! Devant cette « dame »,
il se sent bien petit provincial... et de bien
petite noblesse. Il ignore alors que ce titre de
vicomtesse est usurpé. Il est sous le charme
incomparable de « l'incomparable. Joséphine ». Car c'est déjà ainsi qu'il l'appelle,
ne voulant pas employer son premier prénom prononcé par trop de lèvres masculines.

— Qu'il est *drolle* ce Bonaparte !

Lui l'aime, maintenant, comme il n'a jamais
aimé.

— Je l'ai réellement aimée, dira-t-il à
Sainte-Hélène, mais ne l'estimais point ; elle
était trop menteuse.

Pour l'instant il ne remarque rien. Il n'entend pas plus ses mensonges, il ne devine
pas plus ses ruses ni le côté trop superficiel
de la créole, qu'il ne soupçonne sa générosité,
sa bonté, son esprit serviable, son impossibi-
lité de haïr, sa simplicité... C'est à peine
s'il a su écouter les battements de son cœur.
La seconde — et peu convenable — partie
de sa confidence l'aveugle :

— C'était une vraie femme. Elle avait le
plus joli petit... qui fût possible. Il y avait
là les Trois-Ilets de la Martinique !

Elle le sait bien parbleu, et joue de son art
de coquette qu'elle possède au plus haut
point ! Elle est amusée par la brûlante passion qu'elle a déchaînée et — enfin — lorsqu'elle se donne à lui — ce qui lui coûte
bien peu — elle est un peu stupéfaite le
lendemain matin, en déchiffrant sa première
lettre :

                    « 7 heures du matin.
« Je me réveille plein de toi. Ton portrait
et le souvenir de l'enivrante soirée d'hier
n'ont point laissé de repos à mes sens. Douce
et incomparable Joséphine, quel effet bizarre faites-vous sur mon cœur ! Vous fâ-
chez-vous ? Vous vois-je triste ? Etes-vous
inquiète ? mon âme est brisée de douleur, et
il n'est point de repos pour votre ami... Mais
en est-il donc davantage pour moi, lorsque
me livrant au sentiment profond qui me
maîtrise, je puise sur vos lèvres, sur votre
cœur, une flamme qui me brûle. Ah ! c'est
cette nuit que je me suis bien aperçu que
votre portrait n'est pas vous ! Tu pars à
midi, je te verrai dans trois heures. En attendant, *mio dolce amor,* reçois un million de
baisers ; mais ne m'en donne pas, car il brûle
mon sang. »
Le voici ensorcelé.
Il a été fasciné de tenir dans ses bras ce
corps sensuel tout en langueur et en fossettes,
un corps souple comme une palme des îles,

un corps qui respire l'amour. Lui — sans expérience — a été émerveillé aussi par l'adresse de sa partenaire... Une partenaire si adroite qu'elle est parvenue à lui faire croire qu'elle découvrait et acquérait avec lui cette science délicieuse.

La merveilleuse aventure qui va faire de la petite créole à l'âme légère — et à la vertu plus légère encore — la souveraine d'un vaste empire et d'un royaume, est commencée.

4

« QU'IL EST DROLLE
CE BONAPARTE !... »

LE soir du 9 mars 1796 — le 19 ventôse
de l'an IV — cinq personnes attendent dans
le beau salon doré du premier étage de l'hôtel portant le numéro 3 de la rue d'Antin. La
pièce au décor précieux du temps de la Ré-
gence est aujourd'hui le bureau du directeur de la Banque de Paris et des Pays-Bas.
En 1796, le salon servait de salle de mariage
à la mairie du II⁰ arrondissement et, en cette
soirée du 7 mars, une mariée, trois témoins
et le commissaire du Directoire Collin-La-
combe remplaçant indûment le maire parti
sans doute se coucher, attendent depuis
plus d'une heure déjà, le marié et le quatrième témoin, autrement dit Bonaparte et
son aide de camp Lemarois.

La mariée est la veuve Rose ex-vicomtesse
de Beauharnais. Devenue Joséphine par la
volonté de Bonaparte, elle regarde de temps

en temps Barras, car, en compagnie de Tallien et de l'homme d'affaires et ami Calmelet, il est, en effet, l'un des témoins de cet étonnant mariage. Le « roi du Directoire » a été tout étonné de voir ce niais de petit général demander la main d'une femme que l'on pouvait avoir en le lui demandant poliment. Il souriait en se rappelant qu'il avait reproché à Bonaparte ses excès de générosité :

— Il paraît que tu as pris la Beauharnais pour l'un des soldats du 13 vendémiaire, que tu devais comprendre dans la distribution. Tu aurais mieux fait d'envoyer cet argent à ta famille, qui en a besoin, et à laquelle je viens encore de faire passer des secours.

Bonaparte avait rougi, puis s'était défendu :

— Je n'ai point fait de cadeaux à ma maîtresse. Je n'ai point voulu séduire une vierge. Je suis de ceux qui aiment mieux trouver l'amour tout fait que l'amour à faire... Eh bien, dans quelque état que soit Mme Beauharnais, si c'était bien sérieusement que je fusse en relation avec elle, si ces présents que vous me reprochez d'avoir faits, c'étaient des présents de noce, citoyen directeur, qu'auriez-vous à redire :

— Est-ce bien sérieux ce que tu viens de m'avancer ?

— D'abord, Mme Beauharnais est riche,
répliqua Bonaparte « avec impétuosité ».

Et Barras avait fini par répondre :

— Ma foi, puisque tu me consultes ici
sérieusement, je te répondrai par tes propres
paroles : pourquoi pas ? Tu es isolé, tu ne
tiens à rien. Ton frère Joseph t'a montré la
route du mariage : le voilà tiré de la misère
avec la dot Clary... Marie-toi. Un homme
marié se trouve placé dans la société, il offre
un peu plus de surface et de résistance à
ses ennemis.

Selon Napoléon — il le racontera à Sainte-
Hélène — Barras aurait encore ajouté :

— Elle tient à l'ancien régime et au nouveau ; elle te donnera de la consistance ; sa
maison est la meilleure de Paris.

Ce qui était tout de même quelque peu
excessif !

Dans le salon blanc et or de la rue d'Antin, les yeux se portent sur la pendule...
sauf ceux du citoyen Collin qui s'est en-
dormi dans son fauteuil. Joséphine regarde
avec inquiétude les aiguilles. Buonaparte a
maintenant plus d'une heure de retard. Et
s'il allait ne pas venir ? Ce n'était pas possible ! Il l'adorait depuis ce jour récent où elle
s'était donnée à lui... Mais ce mariage n'était-
il pas une folie ? Il était jaloux, économe,
ordonné ; elle était légère, dépensière et dés-

ordonnée. Il y avait aussi — à son détri-
ment — six années de différence entre eux.
Quand elle lui en parlait, il chantonnait
faux :

Crois-moi, quand on sait toujours plaire,
On n'a jamais plus de vingt ans !

Sans doute était-il maintenant mieux vêtu
et bien loin de manquer de charme. Regard
et sourire attiraient...

Mais elle n'aimait point « Bonaparte »
ainsi qu'elle l'appelait, trouvant son prénom
trop inhabituel. Elle avait longuement hé-
sité à l'épouser. Pour elle, « Napoléoné »
n'était qu'un « général de rue », sorti des
pavés de Vendémiaire. Tout d'abord — bien
sûr — elle avait été flattée par la passion brûlante qu'elle avait déchaînée chez ce « chat
botté » au visage sombre, ombragé de cheveux en désordre. Plaire était pour elle une
joie, une joie faite à elle-même... L'intérêt,
la raison viendront plus tard. Mais, ensuite,
l'amour — un peu encombrant — de Bonaparte l'avait inquiétée.

Elle l'avait expliqué à une amie : « L'ai-
mez-vous ? allez-vous me demander. — Mais
non... — Vous avez donc pour lui de l'éloignement ? — Non, mais je me trouve dans un
état de tiédeur qui me déplaît... J'admire le
courage du général, l'étendue de ses connais-

sances, la vivacité de son esprit, mais je suis
effrayée, je l'avoue, de l'empire qu'il semble
vouloir exercer sur tout ce qui l'entoure...
Si, lorsque nous serons unis, il cessait de
m'aimer, ne me reprocherait-il pas ce qu'il
aura fait pour moi ?... Que ferai-je alors ? Je
pleurerai... »

Les sentiments qu'elle portait à Barras
l'avaient fait hésiter. Elle adorait son élégance et son raffinement. Il jouait — et fort
bien — au souverain. Ah ! s'il avait voulu
l'épouser ! Mais c'était là chose inimagina-
ble ! Dès le début de leur liaison n'avait-il
pas regardé avec gourmandise Mme Mailly
de Château-Renault ? Et bientôt, n'avait-
elle pas été obligée de partager son amant
avec sa rivale, puis avec Thérésia ? Un trio
qui ne pouvait pas se prolonger et, ainsi que
Rose le dira plus tard :

— J'ai cédé ma place à ces dames, en
amie résignée et complaisante...

Et cela tout en continuant, ces derniers
mois, à aider le sultan du Luxembourg à
prendre son bain... Barras riait intérieure-
ment en voyant ensuite ses invités baiser
respectueusement la main de Rose, tout hu-
mide encore de l'amoureuse baignade. Mais
épouser Bonaparte ne l'empêcherait peut-
être pas de « revoir » son cher directeur.
Vingt-trois jours auparavant, elle avait encore présidé avec lui un dîner dans sa pe-

tite maison de Chaillot. Et elle le lui avait
dit :

— C'est vous que j'aimerai toujours, vous
pouvez y compter. Rose sera toujours à
vous, à votre disposition, quand vous lui ferez un signe.

Joséphine l'avait quitté avec des larmes.
« Me serrant dans ses bras, racontera Barras, elle me reprochait de ne plus l'aimer,
me répétant que j'étais ce qu'elle avait aimé
le plus au monde, et dont elle ne pouvait se
détacher au moment où elle allait devenir la
femme du petit général... Je me trouvais
presque dans la situation de Joseph à l'égard
de Mme Putiphar. Je mentirais cependant si
je prétendais avoir été aussi cruel que le
jeune ministre de Pharaon... Je sortis de
mon cabinet avec Mme de Beauharnais, non
sans quelque embarras de mon côté. »

Pour expliquer les traces de ses larmes à
son « fiancé » qui, ivre d'impatience, l'attendait chez elle, la rusée avait accusé Barras
d'avoir voulu abuser d'elle. Le petit Corse
s'était aussitôt dressé sur ses ergots :

— J'irai lui demander raison !

Joséphine l'avait calmé :

— Il a des manières un peu brusques,
mais il est très bon, très serviable, c'est un
ami, rien que cela.

Et il l'avait cru... Bien sûr ! Ainsi s'était-
elle décidée à devenir : « Madame Bona-

parte ! » Ne fallait-il pas aussi faire une fin ?
Trente-trois ans, ce n'est guère... mais la jeunesse n'en est pas moins derrière elle. Certes — et l'éblouissement de Bonaparte le
prouve — lorsqu'elle se déshabille dans son
boudoir aux miroirs, le spectacle est toujours ravissant, sa démarche de créole
— surtout en cette tenue — est un enchan-
tement... mais elle s'est étudiée de près, de
très près : les petites rides sont là, prêtes à
grandir, le teint se fripe un peu sous la couche de fard et de poudre... Oui, il lui faut
penser à « s'établir ». N'est-elle pas seule
maintenant ! Hoche et son ancien soupirant
Caulaincourt semblent ne pas vouloir se décider à abandonner leurs épouses respecti-
ves pour elle... Et Rose a accepté d'épouser
son amant, n'estimant pas plus important
d'offrir sa main que son corps. Pourquoi
d'ailleurs aurait-elle d'autres sentiments ?
La nouvelle société n'attache plus guère
d'importance à l'union légale puisque l'on
peut désormais divorcer aussi facilement.

Bonaparte a maintenant deux heures de
retard.

Un bout de chandelle placé dans un flambeau d'étain fait miroiter les amours de la
large frise qui jouent parmi les rocailles
d'or... Assise nonchalamment près du feu qui
achève de se consumer, la mariée rêve.

C'est Barras, durant cette longue veillée, qui se montre le plus inquiet. Bonaparte se raviserait-il ? Joséphine allait-elle lui retomber sur les bras ? Il se souvient de la visite que lui avait faite sa maîtresse en lui annonçant son mariage.

— Pour moi, lui avait-elle dit, je n'ai pas cru devoir le mettre dans le secret de ma position si cruellement gênée. Il me croit une certaine fortune actuellement, et il pense que j'ai de grandes espérances du côté de la Martinique. Ne lui laissez rien savoir de ce que vous savez, cher ami, vous feriez tout manquer. Du moment que je ne l'aime pas, vous entendez que je puis faire cette affaire... Mais je sais bien que vous ne m'aimez plus, avait-elle ajouté « en versant tout à coup un torrent de larmes, qu'elle avait à commandement ». C'est là le plus grand de mes chagrins. Je ne pourrai jamais m'en consoler, quelle que chose que je fasse. Quand on a aimé un homme tel que vous, peut-on connaître au monde un autre attachement ?

— Et Hoche ? avait-il répondu presque en riant, vous l'aimiez aussi par-dessus tout...

Et il lui avait lancé quelques noms de ses amants, avant d'ajouter :

— Et *tutti quanti* ! Allons, vous êtes une fière enjôleuse !

Elle l'était, en effet... Et avait bien fait souffrir le pauvre Hoche qui avait exigé qu'elle lui remette ses lettres d'amour : « Je ne me soucie pas que son mari connaisse mon style amoureux à l'égard de cette femme. Comme elle a « des héros de son temps obtenu les faveurs », je la méprise ! » Comment — Hoche se le demandait — avait-elle pu lui préférer ce petit général de police qui avait refusé de combattre sous ses ordres en Vendée ? Et insolent ! Hoche se souvenait de ce jour, chez Mme Tallien, où il avait pris le ton et les manières d'un diseur de bonne aventure, et qu'il avait osé lui dire, « d'un ton solennel », après avoir regardé la main qu'il lui avait tendue :

— Général, vous mourrez dans votre lit !

Plus de deux heures que l'on attend là, dans ce salon de mairie. Personne ne pense à couper la mèche de la chandelle et celle-ci fait « long nez ». Collin ronfle-t-il maintenant ? Joséphine songe...

Il lui avait fallu vaincre la résistance de ses enfants. Un jour — Joséphine s'en souvenait — Hortense s'était jetée dans ses bras en pleurant, suppliant sa mère de ne pas se remarier. Elle n'avait pas eu le courage de lui annoncer son mariage et c'est Mme Campan qui s'en était chargée. La

jeune fille en avait été « profondément af-
fligée ».

Le cœur de Rose bat maintenant à se
rompre. Elle ne peut ignorer que Bonaparte est allé voir Emmery pour lui demander des renseignements sur sa fortune. Le
banquier l'avait assurément mis au fait de
sa situation. La Pagerie ne produisait que
50 000 livres par an... Maintenant qu'il sait
qu'elle n'est point riche, va-t-il renoncer ?

Joséphine n'ose plus regarder la pendule.
Pour se donner du courage, elle pense à « sa
dot » : l'armée d'Italie.

Barras lui a fait croire qu'il était l'auteur
de cette nomination au commandement de
l'armée d'Italie, destinée au mari de sa maîtresse. En réalité l'idée venait de Carnot,
mais Barras l'avait soutenue au Conseil.
Bonaparte avait-il donc demandé sa main
pour voir la réalisation de son rêve ?

Mais il y avait aussi sa famille ! Ces Cor-
ses qui faisaient peur à Joséphine avant
même qu'elle les connaisse. Craignant leurs
réactions, Bonaparte leur avait caché son
mariage. Il n'avait pas plus mis au courant le
chef de la famille, Joseph, que sa mère
Mme Letizia, la *madre*. Elle devine leur
sursaut ! Une femme divorcée, plus âgée que
son mari, affublée de deux enfants. Deux
enfants qu'il faudra faire vivre alors qu'ils
ne sont pas du clan ! Une Parisienne élé-

gante, dépensière, frivole ! Une femme qui
va les écraser de son luxe ! Une ci-devant
vicomtesse, veuve d'un général en chef, ancien président de la Constituante ! De
quelle manière va-t-elle regarder ses belles-
sœurs ? Et cette grande dame empêche le cher
« Napoléoné » d'épouser la petite Clary qui
pleure en ce moment, à qui il n'est plus permis de l'aimer et de penser à lui ! La pauvre
Désirée qui écrit à son ancien fiancé :

« Vous, marié ! Je ne puis m'accoutumer
à cette idée, elle me tue. Je ne puis la supporter. Je vous ferai voir que je suis plus fidèle à mes engagements et malgré que vous
ayez rompu les liens qui nous unissaient, jamais je ne m'engagerai avec un autre, jamais
je ne me marierai... »

Soudain, on entend un bruit de sabre qui
résonne dans l'escalier de pierre. La porte
s'ouvre. C'est Bonaparte, suivi de Lemarois.
Sans prendre la peine de s'excuser, il fonce
sur le commissaire, le secoue pour le réveiller.

— Allons donc, monsieur, mariez-nous
vite !

Tout ensommeillé, Collin ânonne cet ex-
travagant acte de mariage où le marié
— « Napoleone Bonaparte, fils de Charles Bonaparte rentier et de Letizia Ramo-
lino » — se vieillit de dix-huit mois, où la

mariée — « Marie-Joseph Rose Tascher née à l'île Martinique, dans les îles du Vent » — se rajeunit de quatre années, où Lemarois n'est point majeur — quoique l'affirme l'acte de mariage — et n'a pas le droit d'être témoin. Où, enfin, le remplaçant du maire n'a aucune qualité pour unir légalement deux citoyens et fera signer l'acte le lendemain par Leclerc...

Cinq minutes plus tard, on se dit bonsoir sur le trottoir de la rue d'Antin. Barras et Tallien montent en voiture — le premier demeure au Luxembourg, le second à Chaillot — Calmelet et Lemarois qui habitent à deux pas — l'un place Vendôme, l'autre rue des Capucines — partent à pied, tandis que Joséphine, en regagnant au bras de son mari le petit hôtel de la rue Chantereine, entre à son tour dans l'Histoire...

A leur arrivée dans la chambre à coucher, Fortuné refuse de se laisser déloger. Il mord Bonaparte au mollet... et le marié doit bien supporter le carlin.

Le lendemain — 10 mars — les nouveaux époux vont voir Hortense à Saint-Germain, au pensionnat Campan, rue de l'Unité, aujourd'hui 42, rue des Ursulines. La petite fille de treize ans regarde son beau-père sans affection ni admiration. Toulon n'est que le fait d'armes d'un capitaine n'exerçant ses ta-

lents — voire son génie — que sur une des
trois armes d'une bataille. Quant à sa situation actuelle, il la doit au fait d'avoir su
adroitement mitrailler des royalistes dans
une rue étroite... Hortense juge donc que,
pour sa mère, c'est là une mésalliance, après
avoir été la veuve d'un général en chef, président de la Constituante et avoir failli
épouser Hoche !

Encore une nuit d'amour, Fortuné en
tiers...

Le vendredi 11, Bonaparte ne quitte guère
le petit salon. Penché sur la carte des Alpes,
déroulée sur la table ronde, il étudie sa prochaine campagne. Car il part le soir même
pour Nice rejoindre son armée. La lune de
miel n'aura pas duré quarante-huit heures.
De temps en temps, Joséphine entre dans la
pièce. Il l'embrasse mais, à son grand étonnement, la renvoie :

— Patiente, ma bonne amie, lui crie-t-il ;
nous aurons le temps de faire l'amour après
la victoire.

Qu'il est « drolle » !...

Le soir, la chaise de poste où l'attendent
déjà son aide de camp Junot et Chauvet or-
donnateur de l'armée d'Italie, vient se ran-
ger au bout de la petite allée. Il s'arrache des
bras de sa femme, lui faisant promettre de le
rejoindre bientôt. Elle promet — bien sûr —
mais quitter Paris pour mener la vie des

camps lui paraît un projet délirant... Un dernier baiser et la voiture quitte la rue Chantereine.

Rose regarde la voiture s'éloigner. De quoi sera fait le lendemain ? Le Directoire n'a-t-il pas voulu se débarrasser de lui ? Cette campagne d'Italie n'était-elle pas une aventure ? Moreau et Jourdain — des généraux qui ont fait leurs preuves ! — ne piétinent-ils pas avec l'armée du Rhin ? Et son mari — général d'antichambre, général d'alcôve, « un petit bamboche à cheveux éparpillés », ainsi que le désignent certains — ce protégé de Barras et des femmes, va combattre l'empire d'Autriche et le Piémont avec 37 000 loqueteux sans solde, l'estomac creux, et chaussés de paille tressée !

-:-

Le lendemain de son départ, elle a commencé à lui écrire. Elle n'a achevé sa lettre que quatre jours plus tard — et en le vouvoyant. Lorsqu'il la reçoit, il explose : « Tu me traites de vous ! Vous toi-même ! Ah, mauvaise, comment as-tu pu écrire cette lettre !... Mon âme est triste, mon cœur est esclave, et mon imagination m'effraie... Tu m'aimes moins... Un baiser à tes enfants dont tu ne parles pas ! Pardi ! cela allongerait tes lettres de moitié. Les visiteurs, à 10 heures

du matin n'auraient pas le plaisir de te voir.
Femme ! ! ! »

Les trois points d'exclamation gravent le
papier ! Veut-elle connaître la chaleur de
son cœur ? C'est alors l'admirable déclara-
tion :

« Je n'ai pas passé un jour sans t'aimer. Je
n'ai pas passé une nuit sans te serrer dans
mes bras. Je n'ai pas pris une tasse de thé
sans maudire la gloire et l'ambition qui me
tiennent éloigné de l'âme de ma vie. Au milieu des affaires, à la tête des troupes, en par-
courant les camps, mon adorable Joséphine
est seule dans mon cœur, occupe mon esprit,
absorbe ma pensée... Si, au milieu de la nuit,
je me lève pour travailler, c'est que cela peut
avancer de quelques jours l'arrivée de ma
douce amie. »

Son arrivée ? Elle n'y pense pas ! Mais
puisqu'il lui reproche la froideur de sa lettre,
elle trace quelques lignes brûlantes écrites
avec son sang et sans doute érotiques. Il en
est bouleversé : « Y penses-tu, mon adorable amie, de m'écrire en ces termes ? Quel
style ! Quels sentiments que ceux que tu
peins ! Ils sont de feu, ils brûlent mon pauvre cœur ! »

L'épopée commence. Il va « crever le centre de l'ennemi ». Tous vont avoir les yeux
fixés sur l'Italie. Tous... sauf Joséphine
— « l'incomparable Joséphine », ainsi qu'il

l'appelle dans ses lettres — qui, pour ces lignes écrites, affirme-t-elle, avec son sang
— est-ce vraiment le sien ? — lui adressera
dix autres lettres froides et brèves auxquelles
il répond, rageur :

« Je reçois une lettre que tu interromps
pour aller, dis-tu, à la campagne. Et après
cela, tu te donnes le ton d'être jalouse de
moi, qui suis ici accablé d'affaires et de fatigue. Ah ! ma bonne amie... Il est vrai que
j'ai tort. Dans le printemps la campagne est
belle. Et puis l'amant de dix-neuf ans s'y
trouvait sans doute ? »

Il le dit lui-même : pourquoi se plaint-il de
la froideur témoignée par sa femme. N'avait-il
pas trouvé qu'une certaine lettre — éroti-
que — « attaquait son repos » ? Mais la dernière reçue est bien pire ! Elle lui « donne le
glacé de la mort ».

« Un baiser plus bas, plus bas que le sein. »
Et il souligne trois fois les derniers mots...

Le 23 avril — il l'écrit à Barras — après
avoir livré six batailles, il a fait 12 000 prisonniers, a tué 6 000 Piémontais, pris 21 dra-
peaux et 40 canons. Et, dans cette même lettre, comme s'il demandait une récompense, il
ajoute : « Je désire beaucoup que ma femme
vienne me rejoindre. »

Le rejoindre ?

Lorsque cette lettre parvient à Paris, Joséphine, dans son hôtel de la rue Chantereine

— cet écrin fait pour elle — rit en rejetant la
tête en arrière aux calembours que lui débite
un beau et jeune lieutenant de hussards, penché sur elle. Les lèvres de l'officier effleurent
presque l'admirable chevelure aux reflets
roux de la future impératrice.

— Citoyenne, comment une femme aussi
jeune et aussi jolie peut-elle avoir pour mari
un général qui veut avoir *Milan* !

Elle le trouve irrésistible. La jolie créole
vient d'avoir le coup de foudre pour le lieutenant Hippolyte Charles, adjoint du général Leclerc, de neuf années plus jeune
qu'elle. Le souvenir de son mari ne la gêne
nullement. Elle n'éprouve nul remords en
pensant qu'elle va assurément se donner à
l'étourdissant hussard. Dès les premiers ronds
de jambe du séduisant lieutenant, elle a été
conquise : « Vous en raffolerez, annonce-
t-elle à Talleyrand. Mmes Récamier, Tallien,
Hamelin en perdent la tête, la sienne est si
belle... » Joséphine va également perdre la
sienne pour cet officier à l'irrésistible uniforme bleu de ciel : dolman à 18 rangs
de tresses, culotte à la hongroise brodée d'argent, pelisse garnie de gorge de renard. Elle
ne peut détacher ses yeux du menton rond
marqué d'une fossette, de ses beaux cheveux
noirs coiffés « en coup de vent »... sans parler de ses yeux bleus et de son nez si joliment relevé. « Il se met avec tant de goût...

Je crois qu'avant lui, personne n'a su arranger sa cravate. »

Assurément, elle vient de trouver l'homme qui sera pour elle son grand amour. Charles est un méridional de taille un peu au-dessous de la moyenne, mais fort beau garçon avec son teint basané, ses longs favoris et sa moustache noire. Certains historiens napoléoniens ont présenté le personnage comme un bellâtre avantageux tenant du coiffeur marseillais et du commis voyageur toulousain, essayant de démontrer par là que la jolie et fine Joséphine n'avait pu avoir, pour ce grotesque, qu'un coup de sang et, comme preuve de ce qu'ils avançaient, comparaient Charles au héros d'Italie, oubliant que, dans ce domaine, une jolie fille sensuelle sera toujours d'un autre avis qu'un sévère membre de l'Institut... Sans doute, d'après la duchesse d'Abrantès, Charles ne s'exprimait-il qu'en calembours et faisait-il « le polichinelle », mais, ajoute-t-elle, « il était ce qu'on appelle un drôle de garçon, il faisait rire ; il était impossible de trouver un homme plus comique ».

Et, pour faire rire Joséphine, Charles se surpassa. Comment résister à ce beau garçon qui lui parle du petit général « qui est sur le *Pô*, ce qui est bien sans *Gênes*... ? »

Dans le ravissant écrin de la rue Chantereine, Joséphine et Charles soupirent, s'adorent, se donnent, s'affirment mutuellement n'avoir jamais cru pouvoir aimer avec autant de force... Que leur importe le nom de ces villages italiens que le mari est en train de dégraver au fronton de l'Histoire ! Ils s'aiment à en perdre le souffle et la raison. Rien d'autre n'existe !

Le nom du général Bonaparte est sur toutes les lèvres, mais ne se trouve point sur les lèvres de sa jolie femme. Seul Hippolyte compte pour elle. Leurs étreintes ne sont interrompues que par les trop fréquentes arrivées de courriers venant apporter à « la citoyenne Bonaparte, rue Chantereine, n° 6 », des lettres brûlantes qu'elle ose peut-être lire à haute voix à son amant... Des lettres dans lesquelles on réclame son départ pour l'Italie.

Partir ? Quitter Paris ? Ah, qu'il est *drolle* ce Bonaparte !

5

« MON HIPPOLYTE !... »

MAIS quelqu'un va troubler la fête : le
colonel Murat, premier aide de camp de son
mari. Il vient apporter les nouvelles des der-
nières victoires et surtout — surtout pour
Bonaparte — une lettre pour Joséphine, une
lettre pressante, la suppliant de monter en
voiture. C'est avec ce beau sabreur que son
mari lui recommande de partir.

« Joséphine, tu es pour moi un monstre
que je ne puis expliquer... Je t'aime tous les
jours davantage. L'absence guérit les petites
passions, il accroît les grandes. Un baiser sur
ta bouche, ou sur ton cœur. Il n'y a personne
que moi, n'est-ce pas ? Et puis, un sur ton
sein. »

Coïncidence troublante, le jour même de
l'arrivée de Murat à Paris, Bonaparte casse
la glace de la miniature représentant José-

phine. Il pâlit « d'une manière effrayante »,
nous dit son aide de camp, et s'exclama :

— Marmont, ma femme est malade ou in-
fidèle !

Et il écrit à Joséphine : « Pense à moi, ou
dis-moi avec dédain que tu ne m'aimes
plus. » Il la menace du « poignard
d'Othello », si elle a le malheur de le tromper. Elle lit la lettre à son ami Arnault. Il le
racontera : « Je l'entends encore lisant un
passage dans lequel, semblant repousser des
inquiétudes qui visiblement le tourmen-
taient, son mari lui disait : « S'il était vrai
pourtant ! Crains le poignard d'Othello ! »
Je l'entends dire avec son accent créole en
souriant : « Qu'il est *drolle*, Bonaparte ! »

Elle zézaie avec son doux accent des îles...
et elle jette négligemment le billet dans un
tiroir. Mais le courrier doit repartir avec la
réponse de la « citoyenne » ; il n'a droit
qu'à quatre heures pour se reposer ! Au lieu
d'aller s'étendre avec « son Hippolyte », il
lui faut prendre son écritoire et tracer hâti-
vement une lettre que Bonaparte estimera
— et pour cause — « froide comme l'amitié ».

Et les courriers se succèdent : « Prends des
ailes, viens, viens... Un baiser au cœur et
puis un peu plus bas, bien plus bas ! »

Viens ! Viens ! Ce n'est pas sérieux ! Elle

rit ! Quinze jours de route ! La traversée des
Alpes ! Abandonner Paris et ses plaisirs !

Mais Murat ne peut s'éterniser. Que va
faire Joséphine ? Quitter Paris et son cher
Hippolyte ? Il ne peut en être question. Alors
elle invente ce prétexte pour ne pas se mettre
en route :

— Je suis enceinte.

Murat est-il dupe ? Ou bien Joséphine l'a-
t-elle mis dans la confidence ? Le 13 mai, la
nouvelle arrive à Lodi... à Lodi où Bonaparte
commence à tisser sa gloire :

« Il est donc vrai que tu es enceinte. Murat me l'écrit. Mais il me dit que cela te rend
malade et qu'il ne croit pas prudent que tu
entreprennes un aussi long voyage. Serait-il
possible que je n'aie pas le bonheur de te
voir avec ton petit ventre ! Cela doit te rendre intéressante ! Tu m'écris que tu as bien
changé. Ta lettre est courte, triste et d'une
écriture tremblante. Qu'as-tu, mon adorable
amie ? Qu'est-ce qui peut t'inquiéter ? »

Elle n'a rien... Elle aime, et c'est là tout !
Elle préfère le brillant lieutenant au brave
général, ce lieutenant surnommé l'*Eveillé*
par ses camarades. Eveillé le bien-nommé !

Bonaparte se doute-t-il de la présence du
bel hussard aux côtés de sa chère créole ? Ce
joyeux luron qui sait la faire rire et la rendre
heureuse lorsqu'il la chiffonne dans le boudoir en rotonde...

« Il me paraît que tu as fait ton choix, lui écrit-il, et que tu sais à qui t'adresser pour me remplacer. Je te souhaite bonheur si l'inconstance peut en obtenir. Je ne dis pas la perfidie... Tu ne m'as jamais aimé... »

Avec une certaine inquiétude maintenant, Joséphine déchiffre cette lettre dans laquelle son mari envisage la séparation : « Quant à toi, que mon souvenir ne te soit pas odieux. Mon malheur est de t'avoir peu connue. Le tien, de m'avoir jugé comme les hommes qui t'environnent. »

L'inquiétude de Joséphine devient de l'angoisse. Et si tout allait devoir recommencer ? La recherche d'un mari ou d'un protecteur ? Les dettes ? Elle n'a pas cessé d'en faire, bien sûr... mais elle sait qu'*il* les paiera un jour. L'amour qu'elle ressent pour son amusant polichinelle remplacera-t-il la gloire d'être Mme Bonaparte ?

Cependant Barras continue, lui aussi, à recevoir des lettres du général en chef de l'armée d'Italie. Le 19 juin, il lit ces lignes découragées : « Je suis au désespoir. Ma femme ne vient pas. Elle a quelque amant qui la retient à Paris. Je maudis toutes les femmes, mais j'embrasse de cœur mes bons amis. »

Barras — et tout le gouvernement — s'inquiètent. La guerre n'est pas finie ! Il reste encore beaucoup de choses à faire pour conquérir et pacifier l'Italie. Toute la situation menace de s'effondrer par la faute de Joséphine ! Pour le calmer, on lui répond que sa femme est malade ; c'est le Directoire qui s'oppose à son départ ! Le courrier revient d'Italie portant une lettre brûlante de passion. Que sa femme lui explique quelle est aujourd'hui sa maladie. « Si elle est dangereuse, je te préviens, je pars tout de suite pour Paris ! » Bref, il demande une permission au Directoire ! Puisqu'elle ne peut venir, c'est lui qui accourera vers elle. Cette fois, Paris s'inquiète sérieusement. Ainsi toute la conquête de l'Italie dépend de la couche de Joséphine ! Il faut qu'elle parte, même flanquée de son amant ! Mais pour partir, il faut de l'argent. Joséphine — on s'en doute — n'a que des dettes. Or, notre chère créole reçoit alors la visite d'une vieille relation d'autrefois, un certain Hamelin, fils d'un premier commis aux Finances, mais que les temps nouveaux ont ruinés. Se souvenant d'avoir rencontré Joséphine, il lui a présenté sa jolie et jeune femme — une créole de vingt ans — et lui demande si elle ne peut rien faire pour eux.

— Pourquoi ne viendriez-vous pas en Italie ? lui dit Joséphine. Je suis bien sûre qu'à ma recommandation, Bonaparte ferait quelque chose pour vous.

Joséphine, quelques semaines auparavant, a touché une somme de 10 000 francs, sur une fourniture de 20 000 couvertures pour l'armée. L'affaire lui a demandé si peu de mal, qu'elle espère bien pouvoir récidiver l'opération...

Elle a demandé à Hamelin si son « associé » ne peut pas lui prêter 200 louis, celui-ci se hâte de la satisfaire, puis elle lui a donné rendez-vous à Fontainebleau. De là, on mettra le cap sur l'Italie !

Le 24 juin « plongée dans un chagrin extrême, fondant en larmes », nous dit un témoin, sanglotante comme si elle allait au supplice, Joséphine monte dans sa berline après un dîner offert par le Directoire.

Et lui ?

Le jour même de son départ, il lui écrit ces lignes : « Tous les jours, récapitulant tes torts, tes fautes, je me bats les flancs pour ne plus t'aimer ; bah ! voilà-t-il pas que je t'aime davantage. Enfin, mon incomparable petite mère, je vais te dire mon secret : moque-toi de moi, reste à Paris, aie des amants, que tout le monde le sache, n'écris jamais, eh bien ! je t'en aimerai dix fois davantage et jamais mon pauvre cœur ne cessera de donner son amour. »

« Aie des amants ! »

Pourquoi se gênerait-elle ? Aussi, dans sa berline où ont pris place son beau-frère Joseph et l'aide de camp Junot, en face d'elle, ses genoux touchant les siens, se trouve Hippolyte.

Elle emmène son amant avec elle...

-:-

Le soir du jeudi 30 juin Bonaparte arrive à Florence. Un courrier l'attend. Il apporte une lettre de Joseph annonçant la prochaine arrivée de Joséphine.

— Berthier, crie-t-il, fou de bonheur, Berthier, elle vient, vous entendez, elle vient ! Je savais bien qu'à la fin elle se déciderait !

Et il donne l'ordre à Marmont de partir au-devant de sa femme.

La berline de la « citoyenne Bonaparte » poursuit sa route vers l'Italie. Joséphine sourit à Hippolyte. A leurs côtés : Joseph Bonaparte et le colonel Junot, sans oublier le cher Fortuné, le carlin « si beau avec sa queue en tire-bouchon et son nez de belette » qui fait des grâces à l'amant, mais apprécie à un tel point les mollets du mari, que Bonaparte en porte une cicatrice à la jambe... Le cortège est précédé par le courrier Moustache, cavalier de l'armée d'Italie qui, aux relais, fait sortir les chevaux et, aux couchés, commande les chambres. Celles de Joséphine et d'Hippolyte sont toujours voisines.

Enfin, après dix-huit jours de route, ce
13 juillet, elle retrouve Bonaparte aux portes
de Milan. Il ne peut détacher ses yeux de son
trésor. « L'incomparable Joséphine » est
là ! Et, dans quelques heures, elle sera à lui...
bien qu'elle n'ait pas tardé à lui parler de sa
fatigue et de son point de côté ! Dans la voiture à 6 chevaux, Joséphine et son mari
font leur entrée dans la ville et arrivent au
palais Serbelloni, meublé avec raffinement,
et orné de fleurs selon les ordres de Bonaparte.

Mais il doit bientôt la quitter : son armée
l'attend. Demeurer à Milan n'amuse guère
Joséphine ! Il s'en faut ! « Je m'ennuie ici
à la mort, écrit-elle à Mme Tallien ; au milieu des fêtes superbes que l'on me donne,
je regrette sans cesse mes amis de Chaillot
(les Tallien), celui du Luxembourg (Barras).
Joseph me tient fidèle compagnie... Mon
mari ne m'aime pas, il m'adore ; je crois qu'il
deviendra fou. »

Hippolyte n'est pas revenu à Milan. De là
vient tout le mal ! Mais Bonaparte appelle
sa femme auprès de lui, à Vérone. Le 29 juillet, en sa compagnie, et avec Hamelin, elle
prend le café sur le balcon de la maison que
Louis XVIII avait occupée. Il embrasse sa
femme longuement, ses mains s'aventurent...
il est, comme d'habitude, sans pudeur, mul-
tipliant ces « libertés conjugales qui ne

laissaient pas de vous embarrasser ». Joséphine semble heureuse. Le quartier général s'installe à Vérone et, assurément, elle verra bientôt Charles...

Soudain, entre deux gorgées de café, les convives voient au loin, avec stupéfaction, des soldats en habit blanc, descendre de la montagne en longues files... Masséna, chargé de garder les débouchés commandant la Vénétie et la Lombardie, s'est fâcheusement fait bousculer par les Allemands et les Hongrois de Wurmser, venus avec le projet de délivrer Mantoue. Bonaparte, avant de sauter à cheval, donne l'ordre à Hamelin d'escorter Joséphine, avec quelques dragons, jusqu'à Peschiera, à six heures de Vérone, à l'extrémité sud-ouest du lac de Garde. Là se trouve une forteresse aussi puissante qu'inconfortable. Joséphine y passe la nuit tout habillée. Dès le lendemain matin — 30 juillet — Junot arrive avec une escorte. On va se replier sur Castelnuovo. Mais, sur la route qui longe le lac, peu avant la presqu'île de Sirmione, une canonnière autrichienne, qui se trouve sur le lac, se met à tirer sur la berline ! Junot, en bon tacticien, fait descendre « la générale » et Hamelin de la voiture. Tandis que l'équipage au grand galop poursuit sa route et sert de cible, les voyageurs, courbant le dos, comme des Indiens sur le sentier de la guerre, se faufilent dans le fossé bordant la route. Joséphine a pris l'aventure avec beaucoup de courage mais, la route s'éloignant un peu du lac, retrouve la berline... Et c'est en larmes qu'elle rejoint Bonaparte qui est passé par Castiglione et Montechiaro.

Bonaparte le lui promet : Wurmser paiera cher les larmes de Joséphine. Le Général reconnaît que la place de sa femme n'est pas au milieu des combats. Mais où aller ? La route de Milan est coupée puisque Brescia vient d'être repris. Une seule solution : prendre la route du sud et gagner Florence. Hamelin se voit à nouveau confier Joséphine.

A Florence, elle s'ennuie, une fois de plus ! Elle a tant espéré retrouver Hippolyte quelque part entre l'Adige et l'Arno. Hélas, le lieutenant Charles fait la guerre et ne peut, comme le mari, demander à sa maîtresse de le rejoindre entre deux combats !

Moustache arrive un beau matin à Florence porteur d'une lettre de son chef. Bonaparte réclame sa femme. Qu'elle vienne à Brescia où « le plus tendre des amants l'attend ».

En arrivant à Brescia, le mercredi 17 août, après cette longue randonnée, Joséphine et Hamelin apprennent que le Général les attend à Crémone. Redescendre vers le sud ? Refaire 14 lieues ? Hamelin serait de cet avis. Joséphine refuse. Il faudrait faire une lon-

gue étape de nuit... L'affairiste insiste. Peine
perdue !

— Montez chez vous, lui dit-elle, je vais
me coucher. On mettra la table auprès de
mon lit et nous souperons ensemble.

Hamelin obéit, et se trouve tout étonné
en redescendant de voir trois couverts dres-
sés au chevet de la « générale ».

— C'est ce pauvre Charles. Il revient d'une
mission et il s'est arrêté à Brescia où il a
appris ma présence...

Après le dîner, Charles et Hamelin se re-
tirent lorsque Joséphine, « d'une voix lan-
guissante », rappelle Hippolyte. Une sentinelle est aussitôt placée à la porte... et le
capitaine des hussards quittera la chambre
seulement le lendemain matin.

Bonaparte est revenu reprendre sa place,
mais il doit à nouveau quitter sa femme qui
regagne Milan. Il se bat, et, à Arcole, entre
dans la légende ! Durant deux jours il se repose à Vérone et, le soir du 21, avant de
retrouver son lit de camp, il trace pour elle
des lignes brûlantes qui, par leur ton, rappellent les lettres envoyées au début de
l'année :

« Je vais me coucher, ma petite Joséphine,
le cœur plein de ton adorable image, et na-
vré de rester tant de temps loin de toi ; mais
j'espère que, dans quelques jours, je serai
plus heureux et que je pourrai à mon aise

te donner des preuves de l'amour ardent que
tu m'as inspiré. Que je serais heureux si je
pouvais assister à l'aimable toilette, petite
épaule, un petit sein, blanc, élastique, bien
ferme ; par-dessus cela, une petite mine avec
le mouchoir à la créole, à croquer. Tu sais
bien que je n'oublie pas les petites visites ;
tu sais bien la petite forêt noire. Je lui donne
mille baisers et j'attends avec impatience le
moment d'y être. Tout à toi, la vie, le bonheur, le plaisir ne sont que ce que tu les
fais. Vivre dans une Joséphine, c'est vivre
dans l'Elysée. Baiser à la bouche, aux yeux,
sur l'épaule, au sein, partout, partout ! »

Elle ne répond pas, et il trace ces lignes
de son écriture nerveuse : « Quel peut être
ce merveilleux, ce nouvel amant qui absorbe
tout vos instants, tyrannise vos journées et
vous empêche de vous occuper de votre
mari ? Joséphine, prenez-y garde, une belle
nuit, les portes enfoncées, et me voilà ! »

Me voilà !

Il ne pense qu'à la « petite forêt noire » !

Le lendemain 24, par une lettre de quatre lignes, il lui annonce sa prochaine arrivée et le samedi 27 novembre, il arrive comme
un fou à Milan, au palais Serbelloni. Sa voiture s'arrête devant la façade monumentale
ornée de colonnes ioniques et dont la pierre
scintille au pâle soleil d'automne. Il monte
quatre à quatre l'escalier conduisant à la ga-

lerie du premier étage où donne le boudoir
de Joséphine et leur *camera matrimonia*. Il
pousse la porte...

L'appartement est vide.

Joséphine est partie pour Gênes, sans doute
avec Charles... Les larmes aux yeux, il se
jette sur son écritoire et trace ces lignes :
« J'ai tout quitté pour te voir, te presser dans
mes bras... tu n'y étais pas : tu cours les
villes avec des fêtes ; tu t'éloignes de moi
lorsque j'arrive ; tu ne te soucies plus de ton
cher Napoléon. Un caprice te l'a fait aimer,
l'inconstance te le rend indifférent... »

Les yeux brillants d'une mauvaise fièvre,
il demeure prostré. Sa pensée est sans cesse
près de l'absente qui ne reviendra de sa fugue que le 1er décembre. Elle se jettera dans
ses bras... mais un coup de griffe a éraflé le
cœur de son mari. La blessure est encore
légère, cependant, depuis ce samedi de frimaire où il n'a pu retenir ses larmes, depuis
ces quatre jours où il s'est rendu compte
qu'elle lui a manqué « d'égards » — il a
tracé le mot — il lui écrira sans doute encore
tendrement, mais ne lui enverra plus de lettres embrasées... De ces lettres qui lui avaient
fait dire à sa tante, deux mois plus tôt,
qu'elle possédait « le mari le plus aimable
qu'il soit possible de rencontrer. Je n'ai pas
le temps de rien désirer, ajoutait-elle. Mes
volontés sont les siennes. Il est toute la jour-

née en admiration devant moi, comme si
j'étais une divinité ».

Elle ne sera plus pour lui une « divinité ».
C'est comme une femme désormais qu'il
l'aimera.

-:-

Lors de son voyage de retour, tandis que
Bonaparte est parti pour Rastadt, Joséphine
remonte seule vers Paris. Partout elle est fê-
tée.

Au moment où elle quitte Moulins, « l'au-
rore vient rappeler l'idée douloureuse que la
citoyenne Bonaparte va s'éloigner, nous dit
un texte conservé aux Archives ; on voulait
la retenir un jour seulement, mais elle brûle
du désir de revoir son mari... Ne retardons
pas la marche de la vertueuse épouse ».

Quelques heures plus tard, avant Nevers,
Hippolyte, le cher et joyeux polichinelle
saute dans la voiture de la « vertueuse
épouse » ! Quel beau cadeau de Noël ! Si
beau que Joséphine musera avec son amant
avant de regagner Paris où Bonaparte l'attend.

Joséphine n'a pas seulement roucoulé
dans les bras de son amant, ils ont parlé
« affaires » : Joséphine a vu des fournisseurs, entre autres les frères Bodin qu'elle
vient de rencontrer à Lyon. Puisque Char-

les a obtenu trois mois de congé, peut-être,
en attendant que le nouveau capitaine
puisse reprendre sa liberté totale, pour-
raient-ils créer une compagnie, la compagnie Bodin ? Hippolyte y travaillerait, tandis que la jolie créole apporterait l'appui de
ses relations, surtout celles avec Barras, maître du Directoire...

L'avenir s'annonçait bien. Nul doute
que, grâce à leurs affaires communes, Joséphine et Hippolyte pourront s'aimer tout
à loisir... En effet, chaque jour, elle prendra
le chemin du 100, faubourg Saint-Honoré
où demeure Louis Bodin. C'est là — les Bodin ne peuvent faire moins pour elle — que
la créole retrouve son cher « polichinelle ».
Bientôt elle peut crier victoire : Louis Bodin reçoit la fourniture tant désirée ! Et
Joséphine participera aux bénéfices ! Charles va pouvoir donner sa démission de capitaine et se mettre à faire des affaires !
Pour l'instant, il est l'indispensable intermédiaire financier entre sa maîtresse et les
Bodin. Il y a tant de choses dont il faut s'occuper : depuis les pots de vin à remettre au
ministre de la Guerre jusqu'aux lettres de
recommandation à demander à Barras.
L'idylle — et les affaires — se poursuivent
jusqu'au 17 mars 1798. Ce jour-là, Bonaparte entre comme un fou dans la chambre
de sa femme. Il sait tout par son frère Jo-

seph ! Les deux amants ont également été dénoncés par Louise Compoint, ancienne femme de chambre que la créole a renvoyée.

— Connais-tu le citoyen Bodin où loge le capitaine Charles ?

Joséphine nie, bien sûr.

— Tu y vas pourtant tous les jours !

— Je n'ai aucune connaissance de tout ce que tu me dis... Si tu veux divorcer, tu n'as qu'à parler !

Divorcer ? Qu'importe à l'amoureuse Joséphine la gloire du vainqueur d'Arcole, du conquérant d'Italie ! Et Joséphine, en rapportant la scène à son amant dans une lettre découverte seulement il y a quelques années par l'admirable chercheur qu'est Louis Hastier, ajoutait en parlant de son mari et de son frère : « Oui, mon Hippolyte, ils ont toute ma haine, toi seul as ma tendresse, mon amour ; ils doivent voir combien je les abhorre par l'état affreux dans lequel je suis depuis plusieurs jours... Hélas, qu'ai-je donc fait à ces monstres ?... Ah ! ils ont beau me tourmenter, ils ne me détacheront jamais de mon Hippolyte ; mon dernier soupir sera pour lui... Adieu mon Hippolyte, mille baisers brûlants comme mon cœur et aussi amoureux... »

« Hélas qu'ai-je donc fait à ces monstres ? »

Ce qu'elle a fait ? Pauvre et inconsciente Joséphine ! Elle est femme — délicieusement et insupportablement femme — et, les pleurs aidant, elle parviendra, cette fois encore, à faire croire à Bonaparte que tout ce que lui ont rapporté Louise et Joseph ne sont que calomnies... tout au moins en ce qui concerne leur ménage. La tragédie ne s'en est pas moins installée rue Chantereine.

Charles a quitté prudemment l'armée la veille même de la scène. Mais il faut vivre. Joséphine n'eut aucun mal à « caser » son amant, à demeure, chez Bodin, cet organisme d'une honnêteté douteuse qui livrait à l'intendance des chevaux de remonte destinés à l'équarrissage. Désormais, Hippolyte, joignant l'utile à l'agréable, travaillait et aimait sous le même toit. Lorsque Bonaparte quitta la France pour l'Egypte, les deux amants eurent encore moins à dissimuler leurs amours. Joséphine en prit même tout à fait à son aise, puisqu'un goût de revenez-y la fit renouer avec Barras. « Permettez que j'aille vous voir ce soir à 9 heures, lui écrivait-elle. Donnez des ordres pour que personne ne puisse entrer. Adieu. Votre amie. » Une amie qui terminait aussi ses billets de cette façon : « Je vous embrasse et vous aime tendrement. » Hippolyte surprit-il une réponse de Barras à sa maîtresse ? Toujours est-il qu'il lui envoya une lettre cinglante la traitant de tous les noms qu'un amant berné puisse trouver.

Joséphine ne se laisse point démonter : « Je vous prie, lui écrit-elle, de m'accorder un moment d'audience pour vous parler d'un objet qui m'intéresse. Vous pouvez être assuré, après cette entrevue qui sera la dernière, de n'être plus tourmenté ni par mes lettres ni par ma présence. L'honnête femme trompée se retire et ne dit mot... » « L'honnête femme » nia selon les métho-des soigneusement mises au point par les filles d'Eve depuis des millénaires :

— Je vois clairement qu'on veut en ve-nir à une rupture ! Il y a longtemps qu'on en a envie, mais on devrait employer des moyens plus honnêtes et moins hypocri-tes !

Et c'est Hippolyte, assurément, qui im-plora son pardon...

-:-

Le 19 juillet 1798, Bonaparte est à Ouâr-dan, non loin du Caire. Bourrienne qui se trouve à quelque distance, le voit parler à Berthier, son aide de camp Julien, et sur-tout à Junot. Bonaparte est pâle, plus pâle que de coutume. Il y a même, remar-quera Bourrienne « quelque chose de con-vulsif dans la figure, d'égaré dans son re-gard ». A plusieurs reprises, il se frappe la

tête. Jamais le secrétaire ne l'a vu « aussi
préoccupé » lorsqu'il s'avance vers lui « la
figure décomposée » et lui lance « d'une voix
altérée » et d'un ton brusque et sévère :

— Vous ne m'êtes point attaché. Les
femmes !... Joséphine !... et je suis à
600 lieues... vous deviez me le dire ! Joséphine !... m'avoir ainsi trompé !... elle !...
Malheur à eux ! J'exterminerai cette race de
freluquets et de blondins !... Quant à elle !
Le divorce !... oui, le divorce ! Un divorce
public, éclatant !...

Dès son entrée au Caire, il écrit à son
frère : qu'il prépare tout pour son divorce : « Le voile s'est atrocement déchiré, explique-t-il, c'est une triste position
que d'avoir à la fois tous les sentiments
pour une même personne dans un même
cœur. »

Mais la lettre sera interceptée par Nelson,
et publiée en anglais et en français par le *Morning Chronicle*. La perte de la flotte empêche toute communication avec l'Egypte, et
Joséphine ne peut correspondre avec son
mari. Peut-être espère-t-elle, lorsqu'elle se
trouvera en face de lui, le reconquérir et lui
faire admettre, comme la dernière fois, que
tout n'était que calomnie ?

Elle dîne au palais du Luxembourg, chez
Gohier, président du Directoire, lorsqu'on
apporte une dépêche télégraphique du

9 octobre : Bonaparte a débarqué à Fréjus.
Joséphine se lève. Avec Hortense, elle se
jette dans une voiture et part à la rencon-
tre de son mari par la route de Bourgogne.
Son cœur bat à grands coups tandis qu'elle
guette chaque détour du chemin. Va-t-elle
réussir à se faire pardonner ses trahisons ?
Va-t-elle le désarmer, sûre de son charme ?
Mais elle a trente-sept ans ! Hortense a déjà
failli se marier ! Elle pourrait être grand-
mère ! Que ferait-elle si « Bonaparte »,
comme elle l'appelle toujours, exige le divorce ? Elle doit un million à ses fournisseurs ! Et Malmaison qu'elle vient d'acheter
n'est pas payée ! Elle n'est plus chez elle,
rue de la Victoire ! Et avec Charles tout ne
bat plus que d'une aile. C'est à peine si elle
le voit maintenant de temps à autre, lorsque les affaires l'exigent ! Et Barras ? Barras la recevra-t-il encore lorsqu'elle ne sera
plus rien ?

Elle dépasse Sens, puis Joigny. Voilà
Auxerre, Châlons, Mâcon ! « A chaque ville,
a raconté Hortense, à chaque village, des
arcs de triomphe étaient élevés. Lorsque
nous nous arrêtions pour changer de chevaux, le peuple se pressait autour de notre
voiture et nous demandait s'il était bien
vrai que leur *sauveur* arrivât, car c'est le
nom que la France entière lui donnait
alors. »

Au fur et à mesure que Joséphine approche de Lyon, elle se rassure. Si elle peut lui parler la première, elle est sauvée !

A Lyon — le 12 octobre — elle apprend la catastrophe : Bonaparte est bien passé la veille par Lyon, mais il a pris la route du Bourbonnais par Cosne, Nevers et Moulins ! Joséphine ferme les yeux. Tout semble s'effondrer autour d'elle. Comme dans un cauchemar, elle voit déjà Joseph parler à son frère. Elle croit entendre les deux hommes tout organiser pour le prochain divorce...

6

JOSEPHINE CONSULESSE

BONAPARTE est arrivé à Paris le 16 octobre 1799 à 6 heures du matin et a trouvé la maison vide. Assurément — il le jure ! — Joséphine est partie avec son amant.

— Les guerriers d'Egypte, s'exclame-t-il, sont comme ceux du siège de Troie : leurs femmes ont gardé le même genre de fidélité.

Sa colère est « terrible et profonde ».

Avant de quitter l'Egypte, il avait écrit à Joseph pour lui demander de faire préparer la procédure pour son divorce. Mais Joseph n'a pas reçu la lettre et n'a rien commencé. Ne peut-on maintenant hâter les choses ? On les hâtera !... Sans doute Eugène s'est-il efforcé de calmer son beau-père. Le Général ne pouvait rien décider sans avoir vu sa femme ! Le vieux marquis

de Beauharnais lui-même — l'ancien beau-
père de Joséphine — venu de Saint-Germain, sa nouvelle résidence, a supplié Bonaparte de ne pas « jeter le désespoir sur ses
cheveux blancs » et d'oublier les torts
de son épouse... Mais tout le clan
— Mme Letizia en tête — veille. Joseph ne
cesse de noircir Joséphine. Il ramasse tous
les ragots et, sans se lasser, parle à son frère
de Charles. De cet amant qui l'a ridiculisé,
lui, révéré par tous les Français ! Il évoque
les dettes, le passé de « Rose », les affaires
véreuses dans lesquelles elle a traîné son
nom. Aussi la décision est-elle prise : il di-
vorcera. Il le jure !

Mais ses yeux se remplissent de larmes...

Le fournisseur de l'armée d'Italie, Collot
— « homme trapu à face de nègre blan-
chi » — qui a rendu de fréquents services
au Général, entre dans le bureau de Bonaparte. Il le voit, tisonnant le feu avec rage.

— Quoi, s'exclame le financier, vous voulez quitter votre femme ?

La paire de pincettes à la main, Bonaparte lui lance :

— Ne l'a-t-elle pas mérité ?

— Je l'ignore, mais est-ce le moment de
s'en occuper ? Songez à la France. Elle a les
yeux fixés sur vous. Elle s'attend à voir tous
vos moments consacrés à son salut. Si elle
s'aperçoit que vous vous agitez dans des

querelles domestiques, votre grandeur disparaît ; vous n'êtes plus à ses yeux qu'un mari de Molière. Laissez là les torts de votre femme et commencez par relever l'Etat...

— Non ! interrompit Bonaparte avec violence, elle ne mettra plus le pied dans ma maison. Que m'importe ce qu'on en dira ! On en bavardera un jour ou deux ; le troisième, on n'en parlera plus. Au milieu des événements qui s'amoncellent, qu'est-ce qu'une rupture ? La mienne ne sera point aperçue... Ma femme ira à Malmaison. Moi je resterai ici. Le public en sait assez pour ne pas se tromper sur les raisons de son éloignement.

Collot tente encore de lutter.

— Tant de violence me prouve que vous êtes toujours épris. Elle paraîtra, s'excusera, vous lui pardonnerez, et vous serez plus tranquille.

Les mains crispées sur sa poitrine, il crie :

— Moi ? Lui pardonner !... Jamais !... Jamais !... Entendez-vous !

-:-

La voiture de Joséphine s'est arrêtée rue de la Victoire, devant la porte cochère « à attributs militaires » qui donne accès au passage couvert conduisant au petit hôtel.

Il est 11 heures du soir. On frappe. Le portier descend de sa chambre qui se trouve au-dessus de la porte. Il balbutie... Le Général a interdit que l'on ouvre à sa femme. Ses affaires sont là, entreposées dans la loge... Joséphine sent les larmes lui monter aux yeux, mais elle hausse les épaules et force la consigne. Dans le petit vestibule tendu de coutil et orné de trophées sculptés et peints, elle trouve Agathe, la femme de chambre qui a remplacé Louise Compoint, et dont le dévouement pour Joséphine est total. Elle le lui annonce : le Général s'est enfermé dans sa chambre. Laissant là Hortense, elle monte le petit escalier tournant qui donne dans le salon. Elle s'arrête devant la porte, gratte timidement.

— C'est moi !

Silence.

Alors, elle commence à parler. Elle lui rappelle leurs souvenirs, leur amour... Car elle est sincère ce soir, et devant le gouffre qui s'ouvre sous ses pas, elle croit l'aimer. Ce n'est pas possible qu'il se refuse à la voir ? Qu'il ne veuille pas entendre ces explications ? Qu'il ne la laisse pas se disculper des calomnies qui, une fois de plus, l'accablent ! Elle lui « dira tout », lui « expliquera tout »...

La tête peut-être enfouie sous l'oreiller pour ne pas l'entendre, Bonaparte ne veut

pas répondre. Il sait que s'il lui *ouvre* la
porte ses résolutions s'évanouiront. Il ne
pourra supporter ses larmes. Car elle pleure
maintenant derrière cette porte désespéré-
ment close. Et il la devine à genoux... Soudain, il l'entend, tout en sanglotant, s'éloigner et descendre à petits pas l'escalier.

A-t-elle compris ?

Certes, il l'aime toujours, mais d'une manière si différente déjà de celle ressentie durant l'épopée italienne. Aujourd'hui les
joies du pouvoir, l'enivrement de la gloire
sont là. Il le sait : il va, demain, balayer ce
gouvernement de pourris et prendre en
main les destinées de la France ! De cette
France expirante ! Depuis Fréjus, on l'a ac-
clamé et applaudi, sauf les voleurs de grands
chemins qui ont pillé ses bagages comme
s'il était le premier voyageur venu !

La France va se réveiller et retrouver son
âme ! Lorsqu'il est entré l'avant-veille au
Luxembourg, escorté par une foule déli-
rante, les vieux soldats de la Garde pleu-
raient de joie. Ne risque-t-il pas de ternir
cette légende qui commence à l'envelopper
en se montrant sous les traits d'un mari
berné ?... Mais le divorce ne va-t-il pas davantage déclencher le scandale ? Une séparation officielle ne risque-t-elle pas, bien
davantage encore, de lui faire du tort ? Le
cocuage va mal avec la figure que se fait le

peuple du héros d'Italie ! Pourra-t-il, en un
mot, devenir cette épée que cherche Sieyès ?
Et puis Joséphine ne pourra-t-elle pas l'aider dans ses projets ? Créer, à Paris, grâce
à son charme, cette manière de cour qu'elle
était parvenue à instaurer en Italie à Mom-
bello ou au palais Serbelloni ? Mais il y a
aussi le souvenir d'Hippolyte Charles, ce fre-
luquet ! Répulsion, indignation, exespéra-
tion, envahissent son âme.

Il tend l'oreille. La maison s'emplit de
bruits. Eugène est descendu de sa petite
chambre qu'il occupe dans l'attique de l'hôtel, et est venu retrouver sa mère qui, au
pied de l'escalier, sanglote dans les bras
d'Hortense. Tout est fini pour elle ! Que
va-t-elle devenir, alors qu'elle n'éprouve plus
pour Hippolyte cet amour « brûlant comme
son cœur ». Soudain Joséphine remonte l'escalier avec ses deux enfants. Est-ce Agathe
qui a eu cette idée ? Quelques instants plus
tard Eugène et Hortense mêlent cris, larmes et supplications devant la porte de la
chambre. Elle supplie qu'il lui pardonne.
Combien de temps dura la scène ? On ne
sait... Finalement, il vint ouvrir. Il semble
bouleversé et pleure, lui aussi.

Dès qu'Hortense et Eugène voient Bonaparte, ému, et prenant leur mère dans ses
bras, ils s'éclipsent... Et le lendemain matin,
lorsque Lucien se présente pour voir

son frère, Bonaparte le fait entrer dans sa chambre : il trouve les deux époux couchés dans les lits jumeaux rapprochés l'un de l'autre. Joséphine sourit et, triomphant modestement, fait sa fine moue de créole...

Elle a promis de ne plus revoir Charles, ce qui ne l'empêchera pas — trop de ses intérêts se trouvaient en jeu — de continuer plus tard à faire des affaires avec son Hippolyte, et peut-être même de goûter parfois, en sa compagnie, au fruit défendu... Pour l'instant, son cœur bat encore à la pensée de ce qu'elle aurait pu perdre. Peu à peu, pour son mari, un double sentiment va lui tenir lieu d'amour. D'abord, son entourage la poussant, elle éprouvera pour « Bonaparte » une certaine admiration — sans peut-être se rendre compte qu'elle est la femme du plus grand génie de l'Histoire — puis — et surtout — la reconnaissance de ce qu'il fera d'elle. Une petite créole à la vertu facile, une fausse vicomtesse ayant passé entre tant de bras, transformée, grâce à lui, en impératrice et reine. En attendant elle va le seconder et l'aider de toutes ses forces pour saisir cette France qui attend d'être prise par lui...

-:-

Elle l'a aidé : Bonaparte a jeté à bas le gouvernement. Avec le coup d'Etat de Brumaire, Joséphine est entrée, elle aussi, dans l'Histoire. Son mari est consul, bientôt Premier consul, en attendant le Consulat à vie. Elle demeure maintenant au Luxembourg. Que sont déjà loin les glaces de l'ex-rue Chantereine, où sa démarche « mollement gracieuse » venait se refléter !... Elle est maintenant la première dame de France, en attendant d'être considérée comme la souveraine... et, ainsi que le dira un jour en soupirant la reine malgré elle, Désirée Clary : « Ce n'est pas drôle les cours lorsqu'on n'y a point été élevée. »

Sans cesse, Joséphine jette un coup d'œil inquiet vers celui qu'elle appellera toujours « Bonaparte », s'il fronce les sourcils, si sa voix se fait plus dure, elle tremble... Le « qu'il est drôle » est loin, elle a peur de lui, elle a peur maintenant de perdre un mari, et un mari généreux ! Que ferait-elle sans lui ? Que deviendrait-elle ? Il y a aussi les dettes qui se sont accumulées pendant la campagne d'Egypte...

Elle n'a pas le courage de parler la première de ce qu'elle doit à ses marchands et fournisseurs, et c'est Talleyrand qui, un soir, a osé affronter le nouveau maître en lui faisant comprendre que les factures impayées de Joséphine font un effet déplorable dans le public. Le Premier consul appelle aussitôt son secrétaire.

— Bourrienne, Talleyrand vient de me parler des dettes de ma femme... Demandez-lui-en le montant exact.

Bourrienne, dès le lendemain, met Joséphine au courant.

— Je ne pourrai jamais lui dire tout, soupire la créole en faisant sa moue, cela m'est impossible ; rendez-moi le service de taire ce que je vais vous avouer. Je dois, je crois, à peu près, 1 200 000 francs ; mais je ne veux en avouer que 600 000 ; je ne ferai plus de dettes, et je paierai le reste peu à peu, par mes économies.

Bourrienne se tient donc à ce chiffre de 600 000 francs — 2 à 300 millions de nos anciens francs — et Bonaparte accepte de payer. Mais le secrétaire demande les factures et demeure pétrifié : Joséphine se fait voler. On a osé lui demander 1 800 francs pour un chapeau garni de plumes de héron. Et pour ce même mois, la chère gaspilleuse a commandé 38 chapeaux ! Bourrienne offre à la plupart des fournisseurs de leur régler seulement la moitié de leur mémoire. Ils acceptent, y gagnant encore. « Un d'entre eux, ajoute Bourrienne, reçut 35 000 francs pour 80 000 francs, et eut l'imprudence de me dire qu'il y gagnait encore. »

Ayant payé les dettes de sa femme, Bonaparte estime qu'il n'a pas à se gêner pour prendre l'un de ses colliers de diamants — le plus beau — afin de l'offrir à sa sœur Caroline — elle signait encore Marie-Annonciatiatta — qui va épouser Murat le 20 janvier.

Joséphine est heureuse de voir ses dettes payées. Une ombre cependant : la perte de son collier. Il lui en faut un autre ! Le bijoutier possède une magnifique collection de perles ayant appartenu — dit-on — à Marie-Antoinette. Joséphine décide de se l'acheter pour s'en faire un collier. Puis, afin de se procurer les 250 000 francs nécessaires, elle s'adresse à Berthier, nouveau ministre de la Guerre. « Berthier, tout en se rongeant les ongles selon sa coutume, nous raconte Bourrienne, se prêta à terminer promptement une liquidation de créances pour les hôpitaux d'Italie, et comme les fournisseurs liquidés avaient dans ce temps-là beaucoup de reconnaissance pour leurs protecteurs, les perles passèrent des magasins de Foncier dans l'écrin de Mme Bonaparte. »

L'opération se passe d'autant plus facilement que Joséphine, estimant que la femme du Premier consul ne peut plus avoir de contacts avec les « affairistes » d'autrefois, a chargé Berthier de recueillir discrètement pour elle ce que lui doivent les « compagnies de subsistances et d'habillements militaires ». L'affaire terminée, demeure le plus difficile auquel Joséphine n'a tout d'abord pas pensé.

Comment expliquer au mari l'arrivée de ce somptueux collier au cou de sa femme ? Lui dire la vérité ? Point n'y faut songer. Aussi durant quinze jours, les perles ne sortent-elles pas de leur écrin, enfin, elle s'enhardit :

— Bourrienne, dit-elle au secrétaire de son mari, il y a demain une grande réunion, je veux absolument mettre mes perles ; mais, vous le connaissez, il grondera s'il s'aperçoit de quelque chose ; je vous en prie, Bourrienne, ne vous éloignez pas de moi ; s'il me demande d'où viennent mes perles, je lui répondrai sans hésiter que je les ai depuis longtemps.

Bien sûr, Bonaparte s'aperçoit de l'arrivée du collier :

— Eh bien ! demande-t-il à sa femme, qu'est-ce que tu as donc là ? Il me semble que je ne les connais pas.

— Eh ! mon Dieu, répond Joséphine en souriant, si, tu les as vues dix fois ; c'est le collier que m'a donné la république cisalpine, que j'ai mis dans mes cheveux.

— Il me semble pourtant, reprend Bona-parte...

← Tiens, demande à Bourrienne, il te le dira.

— Eh bien ! Bourrienne, que dites-vous de cela ? Vous rappelez-vous ?

— Oui, Général, je me rappelle très bien les avoir déjà vues.

« En voyant l'assurance de Mme Bonaparte, conclut Bourrienne, je me rappelai
involontairement la réflexion de Suzanne,
sur la facilité des femmes honnêtes à mentir
sans qu'il y paraisse. »

Joséphine — il faut le reconnaître — s'est
comportée si souvent en femme « pas très
honnête »... Elle va savoir maintenant se
procurer en sous-main des ressources qui
nous paraissent bien étranges. Fouché, pour
savoir ce qui se passait chez Bonaparte, remettra bientôt à Joséphine 1 000 francs *par
jour* — 4 000 de nos francs — ceci sous le
prétexte de pouvoir mieux veiller à la sûreté
du Premier consul, et d'être tenu au courant
de ses faits et gestes...

Ainsi l'épouse du chef de l'Etat était la
principale indicatrice du ministre de la Police ! On croit rêver !

Sans doute Joséphine a-t-elle pris la décision de ne plus toucher sur les fournitures de
l'armée, mais nous allons la voir succomber
à la tentation. Rouget de l'Isle, qui a été avant
le mariage de Joséphine un familier de
« Rose » — peut-être même un peu plus...
mais on ne prête qu'aux riches — a fait
des offres de service à Bonaparte. Le Premier consul n'a point répondu. Joséphine
s'interpose, insiste, et le mari, pour avoir la
paix, commande à Rouget de l'Isle un *Chant
de Combat* qui est joué le 3 janvier à l'Opéra

sans le moindre succès. On le sait, l'aile du génie ne toucha le front de l'auteur de *la Marseillaise* que durant la célèbre nuit de Strasbourg.

Puisque son mari se refuse à utiliser le compositeur, Joséphine demande à celui-ci d'être son prête-nom dans une affaire de fournitures destinées à l'armée. La maison Goisson lui a envoyé un certain citoyen Maunier pour lui offrir une somme rondelette, si la femme du Premier consul parvient à leur faire obtenir un important marché. L'incorrigible Joséphine accepte, et elle demande à son ancien soupirant — moyennant un copieux pourcentage à prendre au passage — de percevoir pour elle le bénéfice de l'opération. Rouget, après avoir refusé, consent à jouer le rôle d'intermédiaire. Le marché est obtenu grâce à Joséphine, mais à la fin de l'année suivante, lorsque le pot aux roses sera découvert, Rouget se verra interrogé par la justice. « Dès le premier interrogatoire, écrira-t-il à Joséphine, sans la plus extrême circonspection, j'aurais pu dix fois vous nommer et vous compromettre directement ou indirectement. »

Tout ceci nous semblerait médisance si nous n'avions pas entre les mains la correspondance de Rouget de l'Isle. Sur ces entrefaites, la maison Goisson fait faillite, l'affaire devient grave et Rouget, s'estimant dé-

lié de sa promesse puisque sa protectrice
n'est point parvenue à le sauver, écrit au
« Citoyen consul » pour lui révéler « des
accessoires nombreux » qui sont « de nature
à n'avoir comme interprète et confident »
que le mari de Joséphine et lui-même...

L'affaire sera étouffée par le mari, mais
Joséphine recevra une telle mercuriale qu'elle
se contentera désormais de l'argent de Fouché, et fuiera — du moins il le semble — les
commissions qui pourront lui être proposées. En voyant la France devenir une na-
tion armée, gageons qu'elle dut parfois soupirer en pensant à la montagne de paires de
chaussures ou de fourrage, commandés indirectement par son mari, et dont elle ne
tirera plus le moindre profit... Quant à Rouget, désormais en chômage, il passera dans
l'opposition et versifiera en comparant Napoléon à Néron... pour la rime, il est vrai.

-:-

Le 19 février 1800, le ménage consulaire
a quitté le Luxembourg pour les Tuileries.
Ils s'installèrent dans les anciens appartements
de Louis XVI et de Marie-Antoinette et, ce
soir-là, au moment de se coucher Bonaparte
lança en riant à Joséphine :

— Allons, petite créole, venez vous mettre dans le lit de vos maîtres.

Assurément, Joséphine est toujours la compagne de lit de son mari. Physiquement, Bonaparte ne s'est point détaché d'elle, cependant c'est avec d'autres yeux qu'il la voit maintenant. Les trahisons de la créole, la découverte de ses amours avec Charles, y sont pour beaucoup. Elle sera désormais davantage l'amie que l'amante. Sans doute Joséphine est-elle toujours pour lui la femme « incomparable », mais non plus l'incomparable maîtresse. Il peut maintenant la comparer avec d'autres femmes... Chaque fois que son mari se livrera à quelque passade, la crainte d'être abandonnée et de perdre sa « position » déclenchera sa jalousie, et non l'amour... Cette jalousie qui énervait prodigieusement son mari :

— Elle se trouble plus qu'il ne faut, disait-il. Elle a toujours peur que je ne devienne sérieusement amoureux. Elle ne sait donc pas que l'amour n'est pas fait pour moi ?

Elle n'en tremblera pas moins, et à nouveau, au lendemain de Marengo, lorsque Bonaparte, subjugué, à Milan, par la voix d'or de la Grassini, passera quelques doux moments avec la brune et chaude *prima donna*.

Joséphine se rendait parfaitement compte de la fin de chaque aventure lorsqu'elle voyait renaître « la tendresse » de son mari pour elle. Mme de Rémusat qui vivait dans l'intimité du ménage, l'a conté : « Alors il

était ému de ses peines, remplaçait ses injures par des caresses qui n'avaient guère
plus de mesure que ses violences, et, comme
elle était douce et mobile, elle rentrait dans
sa sécurité. »

Elle devait bientôt en sortir : La Grassini
écartée, Mlle George était entrée dans la
vie du Premier consul, et la liaison avec la
tragédienne sera plus importante qu'avec la
chanteuse.

Un soir — il est passé minuit — Joséphine
devine que Mlle George se trouve près de
Bonaparte.

— Je n'y peux plus tenir, dit-elle à Mme de
Rémusat ; Mlle George est sûrement là-
haut, je veux les surprendre.

La « dame pour accompagner » essaye
vainement de dissuader Mme Bonaparte de
sa folie.

— Suivez-moi, ordonne Joséphine, nous
monterons ensemble.

Tout ce que peut dire Mme de Rémusat
est inutile et les deux femmes — Joséphine
« animée à l'excès », sa compagne tenant le
bougeoir et « très honteuse » du rôle qu'on
lui faisait jouer — s'engagent dans l'escalier
dérobé conduisant à la chambre du Premier
consul. Soudain, elles entendent un léger
bruit. Mme Bonaparte se retourne :

— C'est peut-être Roustan, le mameluk
de Bonaparte qui garde la porte. Ce malheu-

reux est capable de nous égorger toutes deux.

« A cette parole, raconte Mme de Rémusat, je fus saisie d'un effroi qui, tout ridicule
qu'il était sans doute, ne me permit pas d'en
entendre davantage, et, sans songer que je
laissais Mme Bonaparte dans une complète
obscurité, je descendis avec la bougie que je
tenais à la main, et je revins aussi vite que je
pus dans le salon. Elle me suivit peu de minutes après, étonnée de ma fuite subite.
Quand elle revit mon visage effaré, elle se mit
à rire et moi aussi, et nous renonçâmes à notre entreprise. »

Bien que Joséphine possédât « le pied léger » — l'expression est de Napoléon — Bonaparte connut la scène de l'escalier et Joséphine ne gagne rien à l'affaire. Prenant prétexte de la jalousie de sa femme, Bonaparte
décide désormais de faire chambre séparée.
Lorsqu'il descendra chez elle, par le fameux
petit escalier, Joséphine s'arrangera pour que
toute la cour le sache...

— Voilà pourquoi je me suis levée tard,
aujourd'hui, expliquera-t-elle d'un air las...

Le règne approche maintenant à grands
pas. Le futur empereur va-t-il garder « sa
vieille », ainsi que l'appelle le clan Bonaparte
avec un mauvais rire ?

7

« TU SERAS PLUS QUE REINE... »

LE duc d'Enghien vient de tomber dans
les fossés de Vincennes. Le fossé sanglant
est maintenant creusé entre les Bourbons et
Napoléon. Aux yeux des régicides, le Premier consul a versé le même sang qu'eux. Il
est devenu l'un des leurs. Sans craindre de
le voir jouer les Monck, ils peuvent lui offrir la couronne. Le corps du malheureux qui
pourrissait dans son trou à ordures servira
de marche au nouveau trône.

En cette veille du règne, Joséphine tremble toute.

— Bonaparte, supplie-t-elle, ne te fais
point roi.

— Tu es folle, ma pauvre Joséphine, ce
sont tes vieilles douairières du faubourg
Saint-Germain qui te montent la tête.

Ce ne sont pas les « vieilles douairières »

qui la poussent, mais la certitude de ne pouvoir donner d'enfant à son mari. Or, si Bonaparte montait sur un trône il lui fallait un héritier, cet héritier qu'elle savait ne pouvoir lui donner. Sans doute affirmait-elle qu'elle avait fait ses preuves — Hortense et Eugène étaient là pour le démontrer — et que la stérilité du ménage ne venait pas d'elle, mais de lui. Bonaparte ne le croyait point. Il n'aurait guère fallu le pousser pour répondre à sa femme, ce qu'Elisa, énervée d'entendre sa belle-sœur parler sans cesse de la venue au monde de ses enfants, avait un jour lancé :

— Mais, ma sœur, vous étiez plus jeune qu'à présent !

Un matin que Joséphine, à Malmaison, voulait empêcher son mari de chasser, en lui disant :

— Pouvez-vous avoir une pareille idée ? Toutes nos bêtes sont pleines !

Le Premier consul avait riposté peu joliment :

— Allons, il faut y renoncer ; tout ici est prolifique, excepté Madame !

Craignant de se voir renvoyée « pour stérilité », Joséphine eut une idée qui, pensait-elle, allait asseoir sa situation et éviter le menaçant divorce. Pourquoi Bonaparte n'adopterait-il pas le petit-fils de sa femme, le neveu du Premier consul, fils d'Hortense et de Louis ?

Mais le clan pousse de hauts cris. Les frères de Bonaparte raisonnent comme si leur père Charles eût été souverain. Joseph refuse d'abandonner son droit d'aînesse et Louis s'exclame :

— Pourquoi faut-il donc que je cède à mon fils ma part de succession ? Par où ai-je mérité d'être déshérité ?

— A vous entendre, pourra répondre le Premier consul, on croirait que je vous ai volé l'héritage du feu roi notre père !

Depeure Lucien. Mais Lucien refuse, non seulement le principe de l'hérédité pour lui et ses enfants, mais ne veut surtout pas envisager de rompre son union avec Mme Jouberthon, mariage devant lequel Bonaparte n'avait jamais voulu s'incliner.

Avec celui-ci — le plus intelligent de ses frères — le futur empereur a une violente discussion, si violente que le soir, vers minuit, en retrouvant Joséphine, il se laisse tomber dans un fauteuil en murmurant, accablé :

— C'en est donc fait, je viens de rompre avec Lucien et de le chasser de ma présence !

Joséphine, — elle a de la bonté de reste pour sa belle-famille qui la déteste de plus en plus, maintenant que Bonaparte va en faire une impératrice — Joséphine essaye de plaider la cause de son beau-frère.

— Tu es une bonne femme, lui dit son mari, de plaider pour lui.

Emu, il se lève, prend sa femme dans ses bras et, nous rapporte un témoin, « lui pose doucement la tête sur son épaule, et tout en parlant, conserve la main appuyée sur cette tête dont l'élégante coiffure contraste avec le visage terne et triste dont elle était rapprochée ». Il lui conte que Lucien a résisté à toutes les sollicitations. Il l'a menacé, puis, changeant de tactique, lui a proposé son affection... Lucien l'a répété : il aime sa femme et refuse de se séparer d'elle pour faire plaisir à son frère et devenir « prince français ».

— Il est dur pourtant, soupire Bonaparte, les larmes aux yeux, de trouver dans sa famille une pareille résistance à de si grands intérêts. Il faudra donc que je m'isole de tout le monde, que je ne compte que sur moi seul. Eh bien, je me suffirai à moi-même, et toi, Joséphine, tu me consoleras de tout.

Mais la famille passe à l'attaque. S'il veut un héritier pourquoi le futur empereur ne divorce-t-il pas. Le clan a tant de haine chevillée au corps pour la créole, que tous ses membres préfèrent courir le risque de voir le futur trône leur échapper, plutôt que d'assister au spectacle de la veuve Beauharnais couronnée.

Mais Bonaparte réfléchit.

En dépit de nombreuses maîtresses, il n'a

encore jamais été père. Pourquoi se donner
le ridicule de divorcer pour, à nouveau, ne
pas avoir d'enfant ? Il est encore jeune, l'avenir est à lui ! Pourquoi se séparer d'une
femme qu'il aime encore et à qui, malgré toutes ses dépenses et ses dettes, il ne reproche
qu'une chose : ses mensonges, un défaut qui
l'irritera toujours.

« L'impératrice était jolie, bonne, dira-t-il
plus tard à Bertrand qui notera la conversation en ces termes, mais menteuse et dépensière au dernier degré. Son premier mot était
non sur la chose la plus simple, parce qu'elle
craignait que ce fût un piège ; elle revenait
ensuite. Les marchands avaient ordre de ne
dire que la moitié de ses dettes, de manière
qu'après avoir payé un million on croirait que
c'était fini. Pas du tout ! Elle prétendait
qu'elle ne devait rien et ne demandait pas
d'argent, mais il fallait payer... Elle ne disait
jamais la vérité. A toutes les questions elle
était sur la défensive. La première réponse
était *non*.

« — Vous avez vu Hortense ? Eugène ?
Madame ?... Madame Letizia.

« — Non.

« — Mais Madame était avec sa cham-
brière, une Dame, deux voitures...

« — Ah ! c'est vrai. Elle a passé deux heures ici, elle a déjeuné avec moi...

« Elle a toujours été ainsi toute sa vie : toujours des dettes, les cachant toujours, les niant. »

Divorce-t-on parce que sa femme est menteuse ?

« Oui », avait presque crié Joseph.

En cette veille du règne, le clan ne cesse d'assiéger Bonaparte. Irrité, le Premier consul se confie à Rœderer :

— Les bon apôtres ! Ma femme est fausse, disent-ils, et les empressements de ses enfants sont étudiés... Ma femme est une bonne femme qui ne leur fait point de mal. Elle se contente d'avoir des diamants, de belles robes : les misères de son âge... Si j'avais été jeté dans une prison, au lieu de monter au trône, elle aurait partagé mes malheurs. Il est juste qu'elle participe à ma grandeur.

Pour se convaincre qu'il a raison de faire une impératrice de sa compagne, il lui suffit de se rappeler avec quelle grâce, quel charme, quelle intelligence, quelle distinction aussi elle reçoit, il lui suffit de la voir marcher avec « dans les mouvements une souplesse, une légèreté qui donnaient à sa démarche quelque chose d'aérien, sans exclure néanmoins la majesté d'une souveraine ».

Bien sûr elle ne lit guère et tenir une plume l'ennuie. Seuls les plaisirs de se pa-

rer, de commander une robe et d'en assor-
tir le ton avec chapeau ou chaussures parvient
à la faire sortir de son indolence.

Ignorante ? Eh oui ! Elle n'était pas créole
pour rien. Mais elle a cependant su acquérir — et retenir — un petit bagage dont elle
sait se servir. « Tête sans cervelle », a-t-on
dit... Il semble qu'elle en ait assez, ou du
moins qu'elle sache admirablement tirer
parti de ce peu de cervelle. Elle n'a qu' « un
quart d'heure d'esprit par jour », nous dit
Mme de Vaudey. Ce n'est déjà pas si mal, et
de combien de femmes peut-on en dire autant ?

Elle possède aussi une chose que l'on n'ac-
quiert point, un tact d'une rare finesse, un
sens de l'opportunisme inné. Elle est si ha-
bile, elle mène sa barque avec tant de science
que l'on est bien obligé d'admettre son intelligence ; son adresse dépasse — et de beaucoup — l'éternel et merveilleux instinct féminin...

« Créature céleste », disait Chaptal, elle
possède la science de la conversation et l'art
de mettre les gens à l'aise. Elle sait par sa
simplicité mettre ses visiteurs en valeur et
ils la quittent enchantés de leur visite. Peut-
être peut-on simplement lui reprocher d'être
presque trop accueillante, trop facile d'accès... Mais ce sont là les défauts de ses qualités. Et Bonaparte se réjouit par ailleurs de

la trouver « utilement séduisante ». Elle sait demeurer « toujours en scène », toujours étonnamment « maîtresse d'elle-même »... mais avec gentillesse.

Et puis, il y a sa beauté.

Jolie, Joséphine ?

Encore mieux que jolie. Sa physionomie « suit toutes les impressions de son âme sans jamais perdre de la douceur charmante qui en fait le fond ». Lorsque les yeux « vifs et doux » de sa femme se posent sur lui, il est souvent ému comme autrefois. Il aime ses cheveux aux reflets fauves « longs et soyeux » qu'elle sait coiffer si joliment, le matin, avec un madras rouge « qui lui donne l'air de créole le plus piquant à voir » ; il aime cette peau, toujours éblouissante, et dont la « transparence soyeuse » l'émerveille ; il aime ce corps toujours souple, il aime surtout cette voix douce, caressante, au ton si ravissant que « l'on s'arrête uniquement pour le plaisir de l'entendre », cette voix qui lui a fait dire à Bourrienne, au lendemain de Marengo, tandis que le peuple crie son enthousiasme :

— Entendez-vous le bruit de ces acclamations qui continuent encore ? Il est aussi doux pour moi que la voix de Joséphine.

Et il refuse à nouveau de se séparer de sa femme qui va devenir l'impératrice.

-:-

— Vous serez plus que reine, avait dit à la petite Rose Tascher de La Pagerie, la devineresse de la Martinique.

La prédiction va s'accomplir.

Le vendredi 18 mai 1804, tandis que tonne le canon, le Sénat conduit par Cambacérès se rend à Saint-Cloud, pour apporter à Bonaparte le décret instaurant pour lui et son épouse la dignité impériale.

Joséphine impératrice des Français, et, demain, reine d'Italie !...

Bien que Joséphine ait été préparée à la nouvelle, elle est émue. Elle a même peur et ne sort pas de la journée de ses appartements. Certains ont beaucoup de mal à appeler Joséphine : l'Impératrice, et à lui donner de la « Majesté ». Pour le général baron Thiébault, Joséphine est sans doute rehaussée par des « qualités précieuses », ornée de « grâces infinies », mais elle n'en reste pas moins, — dit-il — « pour moi comme pour tant d'autres : Joséphine, l'ancienne maîtresse de Barras, celle qui, au prix du commandement de l'armée d'Italie, était devenue Mme Bonaparte, celle qui, pour un pot de vin de 500 000 francs, avait fait donner la fourniture de l'armée d'Italie à cette épouvantable compagnie Flachet, dont les vols effrontés avaient causé d'effroyables misères et la fa-

mine de nos troupes lors du siège de Gênes ». Ce même général Thiébault n'en dira
pas moins de Joséphine :

— On ne l'approchait qu'avec admiration,
on ne l'écoutait qu'avec délices ; on ne la
quittait qu'enchanté d'elle et de ses manières...

Mais à peine nommée impératrice, Joséphine se remet à trembler. La jalousie, à nouveau, lui étreint le cœur. Napoléon semble
avoir choisi comme nouvelle maîtresse, parmi
les dames du Palais, la jolie Elisabeth de Vaudey.

Chaque jour, Joséphine, voulant en avoir
le cœur net, épie son mari. Un matin, entre
le 25 et le 28 octobre 1804 à Saint-Cloud,
Joséphine voit Mme de Vaudey quitter, sans
raison apparente, le salon... Elle devine que
la dame va rejoindre son mari et appelle
Mme de Rémusat :

— Je vais, lui dit-elle, éclaircir tout à
l'heure mes soupçons ; demeurez dans ce salon avec tout mon cercle et, si on cherche ce
que je suis devenue, vous direz que l'empereur m'a demandée.

Affolée, Mme de Rémusat essaye de la calmer et de la dissuader d'agir comme une petite bourgeoise qui veut surprendre son mari.
Joséphine ne veut rien entendre et, de son
« pied léger », s'engage dans le petit corri-
dor. Son absence se prolonge durant une de-

mi-heure. Brusquement elle revient au salon, par la porte opposée à celle par où elle
était sortie. Les « mouvements précipités »,
tremblante, elle semble fort émue et, pour se
donner une contenance, se penche sur sa
tapisserie. Enfin, ne pouvant plus y tenir, elle
appelle Mme de Rémusat et l'entraîne dans
sa chambre.

— Tout est perdu, lui dit-elle ; ce que
j'avais prévu n'est que trop avéré. J'ai été
chercher l'empereur dans son cabinet, et il
n'y était point ; alors, je suis montée par l'escalier dérobé dans le petit appartement ; j'en
ai trouvé la porte fermée et, à travers la ser-
rure, j'ai entendu la voix de Bonaparte et de
Mme de Vaudey. J'ai frappé fortement en
me nommant. Vous concevez le trouble que
je leur ai causé ; ils ont fort tardé à m'ouvrir
et, quand ils l'ont fait, l'état dans lequel ils
étaient tous deux, leur désordre, ne m'a pas
laissé le moindre doute. Je sais bien que j'aurais dû me contraindre ; mais il ne m'a pas
été possible, j'ai éclaté en reproches.
Mme de Vaudey s'est mise à pleurer. Bonaparte est entré dans une colère si violente,
que j'ai eu à peine le temps de m'enfuir pour
échapper à son ressentiment.

« En vérité, achève Joséphine, j'en suis encore tremblante car je ne sais à quel excès il
l'aurait porté. Sans doute il va venir et je
m'attends à une terrible scène.

Mme de Rémusat se hâte de regagner le salon où se trouve Mme de Vaudey. Pâle, ne parlant que par mots entrecoupés, elle lance des regards inquiets vers Mme de Rémusat. Savait-elle ce qui venait de se passer ? Tout à coup les assistants entendent « un grand bruit » venant de l'appartement de l'impératrice. Assurément, Napoléon est monté chez sa femme. Mme de Vaudey se lève, demande ses chevaux et part pour Paris. Bientôt Joséphine fait appeler Mme de Rémusat. La malheureuse femme est en larmes. Une scène terrible vient de se dérouler. « Bonaparte », furieux, a « outragé » de toutes manières sa femme. Il a même été jusqu'à briser plusieurs meubles.

— Il faut vous préparer à quitter Saint-Cloud, lui a-t-il dit. Fatigué d'une surveillance jalouse, je suis décidé à secouer ce joug et à écouter désormais « les conseils de la politique » qui veulent que je prenne une femme capable de me donner des enfants.

Eugène vient de recevoir l'ordre de venir au plus vite à Saint-Cloud pour régler le départ de sa mère.

— Je suis perdue sans ressources, sanglote-t-elle.

D'autant plus perdue que, d'une manière d'ailleurs assez cavalière, Napoléon a demandé au pape de venir à Paris le sacrer, lui et son épouse. Pie VII, après s'être fait tirer l'oreille, avait annoncé qu'il commençait ses préparatifs de départ. Cette nouvelle a déclenché chez les Bonaparte un ultime effort pour empêcher le couronnement de Joséphine.

Dès qu'ils apprennent « l'affaire Vaudey » les Bonaparte pavoisent. Cette fois, c'en était fini de ces Beauharnais qui les empêchent de dormir depuis bientôt dix années ! Sans aucune pudeur, le clan manifeste sa joie. Napoléon, écœuré, « blessé de l'air de triomphe des siens », qui ont l'imprudence de se vanter de « l'avoir amené à leurs fins », l'empereur, le 2 novembre, confie à Rœderer :

— Comment renvoyer cette bonne femme à cause que je deviens plus grand ! Non, cela passe ma force. J'ai un cœur d'homme ; je n'ai pas été enfanté par une tigresse. Quand elle mourra, je me remarierai et je pourrai avoir des enfants ; mais je ne veux pas la rendre malheureuse !... Si je la fais impératrice, c'est par justice. Oui, elle sera couronnée !...

Il a pris sa décision et Joséphine le voit. Il entre dans sa chambre pour lui annoncer la prochaine arrivée du pape à Fontainebleau.

— Il nous couronnera tous les deux ; occupe-toi sérieusement des préparatifs de cette cérémonie.

Ivre de joie, Joséphine se jette dans ses bras.

-:-

Le dimanche 25 novembre 1804 — quartidi 4 frimaire, an XII, jour des *Nèfles* — Joséphine, le cœur battant, attend dans son appartement de Fontainebleau l'arrivée du pape Pie VII qui se rend à Paris pour couronner, le dimanche suivant, le nouvel empereur et la nouvelle impératrice.

Au début de la matinée, elle était partie en voiture pour suivre la chasse de l'empereur... Dès qu'un courrier eut annoncé l'arrivée de Sa Sainteté, Joséphine avait regagné le château, tandis que Napoléon faisait semblant de chasser.

— Me rendant à mon palais de Fontainebleau qui est sur la route, avait-il fait dire au pape, je me trouverai, par cette circonstance, jouir de Sa Sainteté un jour plus tôt.

Mais il ne fallait pas, selon le désir de Napoléon, que Sa Sainteté s'imaginât qu'Elle se trouvait supérieure à celui qu'Elle venait sacrer. Hors de l'enceinte de Notre-Dame — et encore... — il n'était qu'un souverain temporel !... La « circonstance » devait être volontairement fortuite et, pour bien préciser les choses, l'Empereur n'est pas rentré au château pour se changer : c'est en tenue de chasseur qu'il attend son hôte à la croix de Hérem. Pour ne pas avoir l'air de s'être porté au-devant du Saint-Père, Napoléon a eu l'idée de paraître interrompre une partie de chasse au loup. La « circonstance » n'en sera ainsi que plus imprévue !...

L'attente se prolonge.

Enfin — il est maintenant 1 h 30 — Joséphine entend les salves d'artillerie, et les sonneries de cloches. Bientôt, monte de la cour ovale le roulement des carrosses et les pas de l'escorte — une escorte mécréante puisqu'elle était composée de mameluks. Au bas de l'escalier Louis XV attend l'ancien évêque d'Autun — un évêque apostat, marié et auteur du schisme conditionnel : Maurice de Talleyrand-Périgord, ministre des Relations extérieures.

Le pape, cinq cardinaux, deux princes romains, quatre évêques, quatre-vingt-dix-sept prélats, camériers, secrétaires, domestiques, s'installent dans le palais. Joséphine s'apprêtait à se rendre dans les appartements du Saint-Père, mais Napoléon fait prier le pape de prendre le chemin du salon de l'impératrice « pour aller la complimenter ». En soupirant, Pie VII obéit, quitte son appartement habité autrefois par la reine mère Anne d'Autriche — pour aller bénir la *carissima Victoriae*, car le pape — on ne sait pourquoi — s'obstinait à appeler l'impératrice *Victoire* — ce qui, il est vrai, convenait fort bien à la femme du général Bonaparte.

Napoléon était fort soucieux. Toute sa famille se trouvait « dans un état de démence »

à la pensée que « Mme de Beauharnais »
— comme l'appelait toujours Madame Mère
— allait être sacrée par le pape et couronnée
par son mari. De nouveau, ce fut Joseph,
chargé de prendre la parole au nom du clan,
qui livra l'ultime combat contre « cette
femme » :

— Le couronnement de l'impératrice, dit-
il, est contraire à mes intérêts ; il tend à donner aux enfants de Louis et d'Hortense des
titres de préférence sur les miens ; il préjudi-
cie aux droits de mes enfants en ce qu'il fait
des enfants de Louis des petits-fils d'une impératrice, tandis que les miens seront fils
d'une bourgeoise.

L'empereur avait explosé.

— Qu'il me parle de ses droits et de ses
intérêts, à moi, c'est me blesser dans mon endroit le plus sensible : c'est comme s'il eut
dit à un amant passionné qu'il a b... sa maîtresse. Ma maîtresse, c'est le pouvoir ! Joséphine sera couronnée ! Elle sera couronnée,
dût-il m'en coûter 200 000 hommes.

Souhaitons — afin de faire plaisir aux
historiens tenants de la thèse de Napoléon
pacifiste — que la colère poussait parfois
l'empereur à dire des choses qu'il ne pensait
point. Devant cette menace d'hécatombe,
Joseph céda et, à Fontainebleau même, vint
faire amende honorable. Napoléon montra sa
satisfaction :

— Je suis appelé à changer la face du monde ; je le crois du moins. Tenez-vous donc dans un système monarchique héréditaire où tant d'avantages vous sont promis.

Mais l'empereur ne trouva pas pour cela le sommeil. Il lui fallait — il le reconnaissait lui-même — « se mettre en bataille rangée » pour obliger ses sœurs et belles-sœurs à porter la traîne de l'impératrice à Notre-Dame, et à les suivre dans toutes les marches et contremarches de la cérémonie. « Madame Joseph » disait même « qu'un tel office était bien pénible pour une femme vertueuse ». Où la vertu allait-elle se nicher !

— Depuis six jours que dure cette querelle, soupirait l'empereur à son frère, je n'ai pas un instant de repos. J'en ai perdu le sommeil, et vous seul pouvez exercer sur moi un tel empire.

Ces dames s'agitèrent à tel point — elles en avaient, elles aussi, des insomnies — qu'il fut convenu qu'elles ne porteraient point le manteau, mais le *soutiendraient*...

En échange, on leur offrit à chacune un chambellan porte-queue pour tenir la traîne de leur robe. Ce qui risquait fort, d'ailleurs, de créer une certaine bousculade dans le sillage de Joséphine. Fort heureusement, Joseph, Louis, Cambacérès et Lebrun, chargés de porter le manteau de Napoléon, n'eurent pas semblable exigence...

Outre le lourd et traditionnel manteau, symbole de puissance — ce manteau de cour de couleur pourpre, semé d'abeilles d'or et doublé d'hermine — Joséphine aurait droit, comme l'empereur, à l'anneau. Le sien serait orné d'un rubis — emblème de joie — tandis que celui de Napoléon portant une émeraude signifierait « la révélation divine ». Anneaux que le pape leur remettra, en accompagnant ce geste des prières rituelles. L'impératrice recevrait aussi la couronne, d'où partiraient huit guirlandes de feuilles de laurier et de myrte soutenant un petit globe surmonté d'une croix. Elle porterait encore un haut diadème d'or, de brillants et d'améthystes — emblèmes de l'amour et de la sagesse — qui semblerait ne faire qu'un avec la couronne. Enfin, Joséphine recevrait, elle aussi, l'huile sainte, la triple onction.

Puisqu'elle allait être ainsi sacrée, Joséphine se croyait sauvée, sauvée du divorce, ce divorce dont le spectre lui tenait compagnie depuis le retour d'Egypte. Assurément, répudier une femme couronnée à ses côtés — et sacrée par le pape — deviendrait chose impossible. Sa fortune conjugale semble donc assurée à jamais. Un seul point — et de taille — l'obsède : elle n'est mariée avec l'empereur que civilement. Si, pour Napoléon, le sacre proprement dit n'était qu'une cérémonie semblable au couronnement ou au

serment constitutionnel, Joséphine estima-
t-elle qu'elle allait recevoir un sacrement qui
eût même exigé une confession préalable et
la communion ? Assurément pas ! Ce
n'étaient point les sentiments chrétiens de
Joséphine qui allaient la pousser à avouer la
vérité au pape, mais la conviction qu'une fois
unie religieusement à « Bonaparte », tout divorce serait rendu impossible. Avec adresse,
elle attendit le samedi 1ᵉʳ décembre, veille du
sacre, pour demander audience au Saint-Père,
installé aux Tuileries dans le pavillon de
Flore. Pie VII faillit s'évanouir. Ainsi, on
avait osé le faire venir de Rome pour bénir
une concubine, pour donner la triple onction avec le chrême réservé aux évêques à un
couple vivant en état de péché mortel ! Cette
fois, il refusait de passer outre ; il préférait
repartir sur l'heure, à moins qu'avant demain
matin le sacrilège ne fût réparé. Il voulait bien
couronner l'empereur seul, mais ne pouvait
tolérer même la présence de Joséphine à Notre-Dame.

Tout décommander ? Changer les dispositions de la cérémonie ? Point n'y fallait songer. Une seule solution : céder et capituler
devant la manœuvre réussie de Joséphine.
Aussi, au début de l'après-midi, Napoléon
appelle-t-il son oncle, le cardinal Fesch et le
met-il au courant du drame :

— Vous célébrerez vous-même le mariage,

mais j'exige sur toute cette affaire un secret aussi absolu que celui de la confession. Je ne veux point de témoins.

— Point de témoins, point de mariage, répondit Fesch.

L'empereur ne voulait pas en démordre : il n'admettrait personne.

— En ce cas, je n'ai pas d'autre moyen que de me servir des dispenses.

« Montant aussitôt chez le pape, racontera le cardinal, je lui représentai que très souvent j'aurais besoin de recourir à lui pour des dispenses, et que je le priais de m'accorder toutes celles qui me devenaient quelquefois indispensables pour remplir les devoirs de grand aumônier. »

Sur la note que l'on peut toujours voir aux Archives, le *j'aurai besoin* avait d'abord été mis au conditionnel. C'est Fesch qui, de sa main, supprima l'*s*...

Fesch semble s'être bien gardé d'expliquer à Pie VII qu'il sollicitait du chef de l'Eglise une dispense *immédiate* pour célébrer de manière *illégale* — et à l'étage au-dessous — le mariage de Napoléon...

Le Saint-Père ayant donné son accord — non à l'absence de témoins, cela s'entend, mais à la demande faite par Fesch — l'oncle redescendit chez l'empereur et à 4 heures, il procéda au mariage :

— Sire, lui demanda-t-il, vous déclarez reconnaître et jurez devant Dieu et en face de sa sainte Eglise, que vous prenez maintenant pour femme et légitime épouse, Joséphine Rose Tascher de La Pagerie, veuve Beauharnais, ici présente ?

— Oui, répondit Napoléon en fulminant.

Le cardinal se tourna vers Joséphine.

— Vous promettez et jurez de lui garder fidélité en toutes choses, comme un fidèle époux le doit à son épouse, selon le commandement de Dieu ?

— Oui.

Puis ce fut le tour de Joséphine. « Rose Tascher de La Pagerie, veuve Beauharnais » accepta de prendre pour mari et légitime époux Napoléon Bonaparte.

— *Ego conjungo vos*, prononça Fesch.

L'absence de témoins gêna Joséphine qui, deux jours plus tard, réclamera un certificat de cette cérémonie. Après avoir refusé, le cardinal en référa à l'Empereur qui donna d'abord son accord, puis, la chose faite aurait — selon Fesch — regretté son geste.

Mais pour l'instant, en cette veille du grand jour, Joséphine ne pense pas aux restrictions mentales de son mari et à l'absence de témoins entachant son mariage de nullité.

Le conte de fées va connaître son apothéose.

Le matin du sacre, Joséphine revêtue d'une robe de satin blanc semé d'abeilles d'or, toute étincelante de diamants, paraît quinze ans de moins. Une haute collerette de dentelle encadre le visage et la rend encore plus ravissante — le célèbre tableau de David nous le prouve. Lorsqu'elle entre dans le cabinet de l'Empereur, de cette démarche caressante et faite de grâce, portant la tête « de façon gracieuse et noble à la fois », il sourit, une fois de plus sous le charme de « l'incomparable Joséphine »...

Quant à lui, il a déjà mis sa culotte de satin blanc brodée d'épis d'or, ses bas de soie blanche, sa fraise à la Henri IV, mais, en guise de robe de chambre, a passé son habit de colonel de chasseurs de la garde. Il revêt maintenant son habit de velours pourpre, son petit manteau rouge à la Henri III orné de 10 000 francs de feuilles de laurier et d'abeilles brodées d'or. Lorsqu'il a coiffé son chapeau en feutre noir orné de plumes blanches et ceint son épée dont la poignée de jaspe soutient le *Régent*, Napoléon se tourne vers sa femme et lui ordonne :

— Que l'on aille chercher Raguineau ; qu'il vienne sur-le-champ, j'ai à lui parler.

Raguineau — un nom de tabellion échappé d'une pièce de Labiche avant la lettre —

est le notaire de Joséphine. Bonaparte, la
veille de son mariage civil, a accompagné sa
« fiancée » chez l'homme de loi et, avec tact,
était resté dans l'étude où se tenaient les
clercs. Demeuré dans l'embrasure d'une fenêtre « jouant sur les carreaux avec ses
doigts », par la porte mal fermée du cabinet il avait entendu très distinctement Raguineau faire « tous ses efforts pour détour-
ner Mme de Beauharnais du mariage qu'elle
allait contracter ».

— Vous avez le plus grand tort, lui disait-il, vous vous en repentirez, vous faites
une folie... Vous allez épouser un homme
qui n'a que la cape et l'épée !

Le notaire, éberlué d'être appelé, le matin même du sacre, aux Tuileries, entre dans
la pièce. Napoléon est là, en grand costume,
éblouissant :

— Eh bien ! monsieur Raguineau, n'ai-je
que la cape et l'épée ?

-:-

Et ce fut le sacre à Notre-Dame.

Joséphine et son mari vont s'agenouiller
sur des carreaux au pied de l'autel. Le pape,
après avoir oint l'empereur, donne l'onction
sacrée sur la tête et aux paumes de Joséphine.
Napoléon a simplifié la cérémonie. Il se
voyait mal, comme le firent les rois de France,

étendu à plat ventre devant l'officiant qui, à travers les trous de sa camisole, l'aurait oint à la poitrine, au milieu du dos et « aux plis des bras ». Il s'estime pleinement satisfait en se contentant, pour lui et Joséphine, de la triple onction.

La messe dite par Sa Sainteté s'arrête après le graduel. Le couronnement va commencer.

Point question pour Napoléon de recevoir la couronne des mains du pape ! C'est lui qui se couronnerait et couronnerait l'impératrice. N'avait-il pas ramassé la couronne de France qu'il avait trouvée à terre ? Après avoir posé la couronne sur sa tête, il l'enlève...

Et ce fut le couronnement de Joséphine, petite créole de la Martinique...

Elle quitte son fauteuil. Il la voit s'avancer, s'agenouiller devant lui, tandis que les larmes qu'elle ne peut retenir « roulent, nous dit Mme d'Abrantès, sur ses mains jointes », ces mains « qu'elle élève bien plus vers lui que vers Dieu, dans ce moment où Napoléon, ou plutôt *Bonaparte*, est pour elle sa véritable Providence. Il y eut alors entre ces deux êtres une de ces minutes fugitives et uniques dans toute une vie et qui comblent le vide de bien des années ».

Il prend la couronne de Joséphine, la

place une seconde sur sa tête, l'enlève avec
« une lenteur gracieuse »... « Mais, lorsqu'il
en fut au moment de couronner enfin celle
qui était pour lui, selon un préjugé, son
« étoile heureuse », il fut *coquet* pour elle,
si je puis dire ce mot, ajoute encore la duchesse. Il arrangeait cette petite couronne qui
surmontait le diadème en diamants, la pla-
çait, la déplaçait, la remettait encore ; il
semblait qu'il voulût lui promettre que cette
couronne lui fût douce et légère. »

Quelle femme dans l'histoire du monde
reçut pareil présent de l'être qu'elle aimait ?
Un empire qui va bientôt s'étendre de Hambourg à Naples, de Brest à Varsovie ? Ce jour-
là, elle croit l'aimer de toute son âme. Hippolyte Charles est bien oublié ! Et le soir, il
exige qu'elle garde sa couronne pour dîner
en tête à tête avec lui...

8

L'IMPERATRICE

— FAIT-IL jour chez l'impératrice ?
Autrement dit : les volets sont-ils ouverts
chez Sa Majesté ? Telle est la question qui,
dès 8 heures du matin, voltige de bouche
en bouche à travers le palais.

Parfois, Constant, en allant réveiller l'empereur entre 7 et 8 heures trouve l'impératrice près de son mari.

— Tu te lèves déjà ? demande-t-elle. Reste
encore un peu.

Il fait alors semblant de s'étonner :

— Eh bien, tu ne dors pas ?

« Alors, rapporte le valet de chambre, il
la roulait dans sa couverture, lui donnait des
petites tapes sur les joues et sur les épaules,
en riant et en l'embrassant. »

Puis il la laisse heureuse et toute riante
sous son « bonnet Napoléon » ou son « fichu
bavarois ».

Dès qu'elle a regagné sa chambre, ses femmes pénètrent dans la pièce, lui apportant une tasse d'infusion ou un peu de limonade qu'elle prend dans son lit. Puis, bien vite, après l'entrée du chien favori — maintenant un loulou viennois à poils noirs — va commencer la longue toilette. Une toilette qui, après le bain quotidien, se prolonge durant près de trois bonnes heures, et en présence de ses femmes de chambre et de ses gardes d'atours. Sur coiffeuses et étagères s'alignent — ses comptes conservés à Malmaison nous le prouvent — des pots de mille crèmes, pommades et opiat, ainsi que les flacons de cristal — eaux odorantes du Portugal, de Naples, de Cologne, de fleurs d'oranger, de cassis double, d'élixir balsamique — des boîtes à mouches et à poudre, un couteau à poudre, un gratte-langue.

Il y a aussi sur sa table des rouges nombreux destinés aux pommettes : Joséphine — la mode l'exige — en fait une consommation extravagante : 3 348 francs, 10 centimes pour l'année 1808, en ne relevant que les factures de deux parfumeurs sur quatre ! En 1809, les dépenses pour le rouge de l'impératrice augmenteront encore : 3 599 francs, 72 centimes payés à Mlle Martin et à Mme Chaumeton (1)...

(1) Tous ces chiffres doivent être multipliés par quatre ou même par cinq pour être convertis en nos nouveaux francs.

Napoléon aime cette mode. On l'entend un soir ordonner aimablement à une dame :

— Allez mettre du rouge, Madame, vous avez l'air d'un cadavre.

Il n'y a pas que le rouge, il y a le blanc aussi, le blanc qui sert à effacer les rides. Parfois on entend Joséphine s'exclamer :

— Je ne vais pas bien, voyez, j'ai *mes farines*.

Ces « farines » sont tout simplement l'excès de « blanc » dont elle se plâtre le visage, qui s'écaille et saupoudre fâcheusement son châle ou sa robe.

Maintenant commence l'habillement. La chemise d'abord. Elle en possède — au début de 1809 — exactement 399. Elle en change plusieurs fois par jour puisque le carnet de sa blanchisseuse — Mme Barbin — pour la semaine du 25 mars au 1er avril, indique 18 chemises, dont « une de baignoire ». Elle change encore plus souvent de mouchoir. Elle en mettra 87 au sale le 9 janvier et 117 le 18.

Au tour des bas qui tiennent tout seuls, sans jarretelles. Elle en possède 158 paires blanches ou roses. Elle change trois fois par jour de chemise mais ne met pas de pantalon. Elle n'en possède que deux pour monter à cheval... et depuis le couronnement, ne fait plus d'équitation. Un corset, un jupon, ils sont innombrables... Et maintenant quelles

robes choisir ? Une robe qu'elle ne portera
souvent qu'une seule fois. Et il lui en faut
au moins trois par jour. On lui en présente
plusieurs dans de grandes corbeilles. En janvier 1809, on dénombre 676 robes d'étoffe,
sans parler des robes de batiste, en mousseline ou en tissu précieux... Le blanc domine,
mais l'on voit aussi des velours « vert nais-
sant », amarante, nacarat, cannelé bleu, en
satins multicolores ou lamés, des « cannelés
à raies avec fleurs façon cachemire », de vrais
cachemires de tous dessins — on en compte
33 — des robes de dentelle et de point d'An-
gleterre, des habits cosaques ou polonais, des
redingotes de velours gros vert, de satin blanc
avec ganse de martre-zibeline...

Deux fois par an, Joséphine monte dans
ce qu'elle appelait « ses atours ». Elle passe
en revue ses « trésors » et partage entre ses
femmes les nombreux objets réformés, certains n'ont même jamais été mis. En 1809,
sur les 676 robes d'étoffe répertoriées, elle
en réforme ainsi 441. Un jour, sa femme de
chambre, Mlle d'Avrillon, hérite de cette
façon d'un bonnet tout neuf « de blonde
noire orné de très jolies roses ». Lorsque
Joséphine voit sa femme de chambre portant
cette nouvelle coiffure, elle lui demande
« où elle l'avait achetée ». Mlle d'Avrillon
lui expliqua en riant comment l'objet est
venu en sa possession.

— Il a été confectionné par Mlle Guérin.

— Je le trouve charmant, faites venir Mlle Guérin, je veux qu'elle le voie sur votre tête, afin qu'elle m'en fasse un tout pareil.

Porta-t-elle celui-là ? On ne sait...

Les chaussures ? Elle n'a que l'embarras du choix. Elle en commande 524 paires pour la seule année 1809 et il lui en reste 265 paires de l'an dernier, qu'elle n'a pas mises... et qu'elle ne mettra sans doute jamais. Au tour maintenant de la coiffure. Herbault entre, l'épée au côté, à moins que ce ne soit l'étonnant coiffeur-modiste Duplan qui, depuis le Directoire demeure le spécialiste en vogue, inventeur, pour le soir, de ravissantes coiffures en fleurs — roses, jasmins, marguerites — ou encore en « oreilles d'ours » ou en « boucles de repentir »... Pour le matin, d'autres corbeilles contenant chapeaux et quelques-uns de ses châles assortis à la robe qu'elle a choisie. Elle en a la passion, « elle en faisait des robes, nous dit Mme de Rémusat, des couvertures pour son lit, des coussins pour son chien. Elle en a constamment un toute la matinée qu'elle drape sur ses épaules, avec une grâce que je n'ai vue qu'à elle. Bonaparte, qui trouve que les châles la couvraient trop, les arrache et quelquefois les jette au feu ; alors elle en re-

demande un autre. Elle achète tous ceux qu'on
lui apporte, de quelque prix qu'ils soient ;
je lui en ai vu de 8, 10 et 12 000 francs. »

C'est à ce moment qu'apparaît le pédi-
cure, l'épée au côté lui aussi. Il est suivi
de Corvisart, le médecin de l'empereur. Joséphine se croit toujours atteinte de toutes
les maladies... Hors quelques migraines,
elle est solide comme un roc, et il le faut
pour s'accommoder de la vie impériale.
Corvisart s'en débarrasse en lui ordonnant
gravement des pilules qui ne sont autres
que des boulettes de mie de pain.

Une paire de gants blancs ! Elle les commande par 6 douzaines à la fois, et en possède 980 paires au mois de janvier 1809.

Veut-on la voir choisir un bonnet ? Péné-
trons dans la chambre de Joséphine en compagnie de Mlle Despeaux que l'impératrice
a fait appeler.

— Mon bonnet de point ?

« Telle a été la première question », nous
rapporte un témoin de la scène, « que l'impératrice a lancé à sa marchande. »

— J'en apporte six à Votre Majesté afin
qu'elle puisse choisir.

— Je n'en avais pas demandé six, je n'en
voulais qu'un, je le voulais hier, vous êtes
d'une inexactitude sans exemple ; rempor-
tez ces cartons et donnez-moi mon bonnet.

Mlle Despeaux « un peu piquée », tire

de l'un de ses cartons un « bonnet de
point » qui parut aux dames entourant
l'impératrice « d'une forme aussi bizarre
qu'extravagante ». A peine Joséphine
l'a-t-elle ajusté « qu'un éclat de rire devient
général ».

— C'est affreux, s'exclame aussitôt l'impératrice qui, elle, ne rit pas. J'ai l'air d'une
folle.

Quelqu'un — Mme de Saint-Hilaire —
prend en pitié Mlle Despeaux et intervient
sur la pointe des pieds :

— Peut-être le bonnet a-t-il été mal
posé ?

— Croyez-vous, Madame de Saint-Hilaire ?

Joséphine est maintenant désolée d'avoir
fait de la peine, non seulement à Mlle Despeaux, mais aussi à l'une de ses dames qui
la lui avait recommandée.

— Nous allons voir... Je l'ai à peine essayé.

« Souriant avec bonté », l'impératrice essaye à nouveau le bonnet, « le tire un peu
par-derrière, l'avance davantage sur le
front », sourit :

— Eh ! mais il n'est pas si mal, ce me
semble... il me va bien... mais il me coiffe
comme un ange...

« A ces mots, tout le monde de répéter

qu'il n'est pas si mal... qu'il va bien... qu'il coiffe comme un ange... »

Et Joséphine déclare qu'elle le portera toute la journée.

La voilà prête.

Qu'y a-t-il aujourd'hui dans l'antichambre ? Des marchands bien sûr, et de toutes espèces. Elle n'a pas le courage de les renvoyer sans leur acheter quelque chose. Il lui arrive souvent d'acquérir un objet extrêmement cher « qui ne lui est d'aucun usage, uniquement pour le plaisir d'acheter ». Cependant, son achat est toujours joli, car ainsi que nous le dit encore Mlle d'Avrillon, « personne n'a un goût aussi exquis que le sien ». Bien entendu Joséphine est attirée par les étoffes et les mousselines anglaises qui ont pour elle d'autant plus d'attrait que le blocus interdit leur vente en France. Elle hausse les épaules derrière lui lorsqu'elle entend son mari s'exclamer :

— Cet engouement pour les mousselines anglaises est d'autant plus extraordinaire que nous avons en France des linons-batistes qui peuvent les remplacer et font des robes beaucoup plus jolies. Je préférerai toujours cette étoffe parce que, dans ma jeunesse, ma première amoureuse en avait une robe.

Par la Hollande, Joséphine fait venir les

marchandises qui lui plaisent. Et un jour
— nous le savons par un rapport de Fouché — deux ballots qui ont été saisis et doivent être vendus en criée publique sont ré-
clamés au dernier moment « au nom de
l'impératrice ». L'effet est, on s'en doute,
désastreux.

Napoléon, dès qu'on lui parle mode,
fronce les sourcils.

Un jour, traversant le salon bleu des Tuileries, il remarque une marchande de mo-
des qui attend d'être appelée par Joséphine,
légèrement souffrante ce matin-là. Il s'arrête, déjà en colère.

— Qui êtes-vous ?

— Mademoiselle Despeaux, balbutie-t-elle,
un peu terrorisée.

Plantant la marchande, il bondit littéra-
lement « comme un furieux » dans la
chambre de l'impératrice où tout le « service » attend, tremblant déjà...

— Qui a mandé cette femme ? crie-t-il
en « gesticulant ». Qui l'a fait venir ? Je veux
absolument le savoir.

Personne ne veut se nommer. Quelqu'un
explique que Mlle Despeaux avait sans
doute appris que l'impératrice était incom-
modée, et qu'elle était venue spontané-
ment, supposant « que S. M. I. pouvait
avoir besoin de quelque joli bonnet né-
gligé ».

La colère impériale redouble :

— Je veux connaître la coupable ; je vous ferai toutes mettre en prison.

Joséphine que l'on coiffe tandis qu'elle prend un « bain de jambes », se trouve tout à coup seule avec Mlle d'Avrillon. Toutes les femmes — et le coiffeur lui-même — se sont envolées.

Après avoir lancé encore quelques imprécations, et ne voulant entendre aucune explication de l'impératrice, Napoléon finit par quitter la pièce. Aussitôt arrivé dans son cabinet, il donne l'ordre à Rovigo de faire arrêter la demoiselle Despeaux et de l'envoyer à la Force. Ainsi fut fait, et il fallut que Joséphine intervienne avec sa douceur habituelle pour faire relâcher sa marchande de bonnets.

A 11 heures, Joséphine qui a gardé ses habitudes du Consulat, déjeune le plus souvent avec quelques dames. Son maître d'hôtel — Richard — la sert, aidé par les deux premiers valets de chambre, un mamelouk et les valets d'appartement. Pour dix personnes : potage, quatre hors-d'œuvre, deux relevés, six entrées, deux rôtis, six entremets, six desserts. Bien sûr, on ne mange pas de tout. On choisit. Le plus souvent, Joséphine qui donne « à ces repas un charme tout à fait spécial », propose à ses invités l'un des plats qui se trouve devant elle, car

tout est déposé à la fois sur des « vaisseaux », réchauffoirs contenant de l'esprit
de vin allumé ou de l'eau bouillante. « L'impératrice, a conté l'un des valets de chambre de Joséphine, nous remet ce qu'elle offre à ses convives, et nous le remettons au
valet de pied de celui à qui le mets est destiné. » Car chaque personne a derrière elle
« son » valet de pied attitré, qui change
les assiettes et les couverts ou lui apporte
des tranches de pâtés qui, eux, ne se trouvent pas sur la table mais déposés sur des
buffets. Les assiettes sont en argent ou en
vermeil, c'est seulement au dessert qu'apparaissent des assiettes en porcelaine où court
un filet d'or. Au centre, le chiffre *J. B.* « indique que celles-ci sont à l'impératrice ».
« Lorsqu'on sort de table, raconte notre valet de chambre, toutes les personnes se re-
tournent et avancent d'un pas comme les
sous-officiers qui sont à la parade au moment de l'ordre, et il leur est présenté un
bol bleu qui contient lui-même un autre
bol de porcelaine, le tout sur un plateau
avec une serviette et un demi-citron. Le bol
de porcelaine contient l'eau avec laquelle
on se rince légèrement la bouche ; le bol
bleu sert à se laver le bout des doigts. »
    Puis, Joséphine fait une partie de billard
ou se met à broder. Entre 2 et 3 heures, si le
temps le permet, l'impératrice fait une pro-

menade en calèche avec deux ou trois de ses
dames. Un piqueur précède la voiture, l'écuyer
de service galope à une portière, l'officier des
guides à l'autre. Un piquet de cavalerie suit
le page qui caracole derrière l'équipage.

Souvent elle commande :

— A Malmaison !

Elle veut voir comment se portent ses
plantations. Des longues années passées à la
Martinique, Joséphine garde la passion des
fleurs. Il faut s'être promené à travers les
mornes des Antilles pour se rendre compte de
l'extraordinaire palette de couleurs que présente la végétation de l'*île des Revenants,*
ainsi appelée parce que, lorsqu'on en a foulé
une fois le sol, on ne pense qu'à y revenir.
Grâce à des serres tempérées et chaudes,
Joséphine, « élève » du botaniste Ventenat
et de Soulange-Bodin, neveu de Calmelet, a
introduit en France nombre d'espèces nouvelles — exactement 184 — alors absolument
inconnues et qui, grâce à elle et à son botaniste Bonpland — au nom prédestiné — se
trouvent aujourd'hui dans bien des jardins.
Elle aime montrer ses merveilles.

— Voici l'*hortensia,* explique-t-elle à ses
visiteurs, qui vient tout récemment d'em-
prunter le nom de ma fille, voici la *sol-
danelle des Alpes,* la *violette de Parme,* le
lis du Nil, la *rose de Damiette* : ces conquê-
tes sur l'Italie et l'Egypte ne firent jamais

d'ennemis à Bonaparte. Mais voici ma conquête à moi, ajoute-t-elle, montrant son
beau *jasmin de la Martinique* : la graine se-
mée et cultivée par moi me rappelle mon
pays, mon enfance, et mes parures de jeune
fille.

On lui doit encore bien d'autres espèces,
telles le magnolia à fleurs pourpres, l'euca-
lyptus, l'hibiscus, le phlox, le catalpa, le ca-
mélia, et des variétés de myrtes, de mimo-
sas, de dahlias, de tulipes, de géraniums, de
jacinthes doubles. Rien ne l'arrêterait. Elle
achètera en une seule année pour près de
8 000 francs de tulipes à la maison Arie Cor-
meille de Harlem.

On crée pour elle des fleurs nouvelles : la
Bonapartea, la *Pageria* qui viennent du Pé-
rou, ou la *Josephinia Imperatrix*, une fleur
d'un blanc de perle, piquetée de pourpre.
Comme le dit en vers un flagorneur du
temps :

> *Pour joindre aux lauriers*
> *De César, il ne fallait pas moins*
> *Qu'une fleur immortelle.*

C'est encore à Joséphine que l'on doit
l'essor extraordinaire de la rose en France.
Elle en fit venir des plants de la Nouvelle-
Hollande, et réussit à réunir à Malmaison
toutes les roses, alors connues, et que son

peintre — Pierre-Joseph Redouté, ancien maître de dessin de Marie-Antoinette — immortalisera par ces planches qui sont une joie des yeux.

Et il me plaît de dire qu'il doit être beaucoup pardonné à Joséphine parce qu'elle a tant aimé — et servi — les roses.

Au retour de la promenade a lieu la grande toilette, à laquelle assiste parfois l'empereur. Tandis que ses femmes l'habillent, il s'amuse à lui donner des tapes sur les épaules.

— Finis donc, finis donc, Bonaparte, répète-t-elle vainement.

« L'impératrice s'efforçait de rire, rapportera Mlle d'Avrillon, mais j'ai surpris plus d'une fois des larmes dans ses yeux. »

Le dîner est servi en principe à 6 heures, mais, lorsque l'empereur n'est pas descendu « à la toilette » de Joséphine, Napoléon se fait parfois attendre plusieurs heures. Un soir, il sortit seulement de son cabinet à 11 heures du soir.

— Je crois qu'il est un peu tard, dit-il à Joséphine.

— 11 heures passées.

— Je croyais avoir dîné.

Elle n'avait pas osé le faire prévenir et, ce soir-là, il y eut vingt-trois poulets successivement renouvelés et mis à la broche.

Il trouvait toujours le menu trop copieux.

— Monsieur, disait-il à son maître d'hôtel, vous voyez bien que vous me faites trop manger ; je n'aime pas cela ; cela m'incommode, je veux qu'on ne me serve que deux plats.

Ne prêtant nulle attention à la nourriture, il ne savait absolument pas ce qu'il mangeait et il lui arrivait de commencer son repas par des sucreries.

Les cuisiniers essayèrent de réveiller l'intérêt de l'empereur en donnant à leurs pâtisseries des formes de temples égyptiens, grecs ou romains... et l'on vit un jour l'empereur dévorer une pyramide d'Egypte, tandis que Joséphine *pluchottait* — mot à la mode signifiant manger délicatement — les bases du mont Aventin.

Joséphine savait supporter la mauvaise humeur et les colères impériales avec une « inaltérable douceur ». Son humeur se montrait toujours sereine et égale. Sa « complaisance », nous dit sa femme de chambre, ne pouvait être égalée. Jamais elle ne se fâchait devant cette manière de tyran qu'était parfois l'empereur, jamais elle ne manifestait un mouvement d'humeur.

— Avec moi, disait Napoléon, c'est une femme qui n'a point d'ongles.

Elle demeurait imperturbable lorsqu'elle

voyait son mari renverser brutalement la table où il prenait son repas parce qu'il avait
retrouvé en soulevant la cloche d'un plat
les mêmes « crépinettes de faisan » qui lui
avaient déjà été proposées un mois auparavant... un mets qu'il avait cependant fort
apprécié. Le calme et la douceur, la « bonté
inaltérable » de Joséphine — le chambellan impérial Bausset le remarquera — avait
fini par adoucir le caractère « impérieux »
de Napoléon. Elle intercédait encore auprès
de lui pour qu'il rapportât l'ordre de ren-
voi d'un domestique :

— Mon ami, lui disait-elle avec sa « grâce
inimitable », si tu veux lui pardonner, tu
me feras plaisir.

Et il cédait aussitôt.

Napoléon mangeait si vite qu'il lui arrivait d'être sérieusement incommodé. Joséphine s'asseyait alors à ses côtés et l'empereur posait sa tête sur les genoux de sa
femme.

— Te sens-tu mieux ? lui demandait-
elle. Veux-tu te coucher un peu ? Je resterai près de ton lit.

Après le thé — on le lui présentait avec
deux cuillers en vermeil, une pour y goûter
devant Napoléon, l'autre pour lui — il se
retirait en disant à peine bonsoir, dans son
cabinet. Joséphine poursuivait sa soirée en
jouant au trictrac avec Beaumont, à moins

que l'empereur ne l'appelle près de lui ;
alors elle accourait bien vite le rejoindre,
tandis que les invités luttaient contre le
sommeil attendant son retour.

S'il faut en croire ses proches, elle avait
pour lui maintenant une manière de culte.
Elle était à ses pieds « à la moindre incom-
modité de l'empereur, ou si quelque chose
venait à le tourmenter ». Et il en était touché. Lorsqu'il parvenait à cesser de penser à
lui et à l'Empire — ce qui était d'ailleurs
la même chose — il se montrait aux petits
soins pour elle, essayait de ne pas oublier
de venir lui dire bonsoir, envoyait — même
en pleine nuit — Roustan, pour prendre
de ses nouvelles. Parfois il descendait lui-
même. Ce qui, au reste, réveillait définitive-
ment l'impératrice...

Une chose le met hors de lui : les dettes
de sa femme. D'abord Joséphine — on ne
pouvait être meilleure — est d'une rare
générosité. Du 26 septembre 1804 au
31 décembre 1809, elle distribuera ainsi
923 803 francs, 24 centimes, soit au moins
4 millions de nos francs actuels. C'est évidemment considérable. Mais existe-t-il beaucoup de femmes qui dépensent près du
sixième de leurs revenus pour leurs chari-
tés ? Joséphine, en effet, reçut en cinq années, du trésor — pour ses toilettes, pensions et aumônes — 5 354 435 francs, 44 cen-

times — soit 20 à 25 millions de nos francs.
« Il en résulte, soupirait le trésorier, qu'il en-
trait dans les goûts de S.M. d'être plus grande
et plus généreuse encore que ses moyens le
permettaient. »

La dépense la plus importante est assurément celle des robes : 7 à 8 millions de nos
francs en cinq années. De ce pactole, Leroi
est le principal créancier. Pour Joséphine il
il est roi, alors que ce grand faiseur effé-
miné n'est qu'un tartuffe, un fanfaron et
un fourbe. Mais l'impératrice tient à sa
silhouette du Sacre et Leroi se gardera
bien d'innover... encore qu'il se baptise
« inventeur », car il se prend fort au sérieux.
Il semble souffrir mille morts lorsqu'il lui
est donné de servir des clientes qui ne sont
point venues jusqu'à lui en voiture. Pour
des provinciales, il écoule ses invendus des
années précédentes. Personne ne proteste.
N'est-il pas le couturier de l'impératrice ?
Lorsqu'il a marié sa fille, il lui a demandé
l'un des carrosses armoriés de la cour. Joséphine qui ne sait rien refuser, a accepté,
mais Napoléon, lorsqu'il apprend la demande du couturier, explose :

— Ah ! çà, est-ce que Leroi se f... de
moi ? Qu'il aille en fiacre, si cela lui convient ; mais je n'entends pas qu'on pro-
mène ses demoiselles de boutique dans mes
voitures !

Leroi a l'audace de demander 2 à 3 000 francs pour une robe.

— Monsieur, lui dit un jour l'empereur, vos prix sont fous, plus fous, s'il est possible, que les niais et les sottes qui s'imaginent avoir besoin de votre industrie. Réduisez-moi cela raisonnablement ou je me chargerai moi-même de la réduction.

Et comme le marchand ose répondre « que la somme que S. M. destinait à la toilette de l'impératrice était insuffisante », l'empereur le regarde en froissant le mémoire, puis il croise haut les bras, selon son habitude, et marche sur le malheureux en lançant un « vraiment ? » qui fait s'enfuir le personnage en courant...

Régulièrement Joséphine se trouve devant le gouffre de ses dettes. Dès que l'empereur en apprend le chiffre, — diminué — dès qu'il connaît le montant astronomique de ces dépenses, sa colère éclate, violente, brutale, excessive. Joséphine se répand en sanglots, promet — avec sincérité — de ne plus donner lieu à l'empereur de la gronder... puis, succombe au premier achat qui lui est proposé. Sa bonne volonté est grande, pourtant... Son tapissier l'entendra lui dire, le plus sérieusement du monde :

— Je vous en prie, mon cher Monsieur Boulard, de la simplicté, l'empereur le veut ; de l'uni, surtout dans ma cham-

bre à coucher ; j'aime mieux vous donner
10 000 francs de plus et qu'elle soit on ne
peut plus simple.

Un jour, affolée par le montant de ses
dettes, elle décide de faire à tout prix des
économies. Mais comment ? Pour solliciter
des avis, elle réunit toute sa maison... et son
inconscience — désarmante — lui fait commander, spécialement pour cette réunion, une
robe en toile « toute simple ».

9

LE SPECTRE DU DIVORCE

LE 27 juillet 1807, l'empereur, tout au-
réolé de la gloire de Tilsitt, arrive à Saint-
Cloud. Le voici maître de l'Europe, le voici
père d'un petit garçon — Léon, le fils de
Mlle Denuelle — le voici amoureux de Marie Walewska... et il pense au divorce. Prenant prétexte de la mort de son neveu, le
petit Napoléon — fils de Louis — et de la
santé délicate du deuxième fils de la reine
Hortense, il ne tarde pas à parler à Joséphine « de la nécessité où peut-être, un
jour, il pourrait se trouver de prendre une
femme qui lui donnerait des enfants ». Elle
pâlit, tandis qu'il poursuit :

— Si pareille chose arrivait, Joséphine,
alors ce serait à toi de m'aider à un tel sacrifice. Je compterais sur ton amitié pour
me sauver de tout l'odieux de cette rupture

forcée. Tu prendrais l'initiative, n'est-ce pas ? Et, entrant dans ma position, tu aurais le courage de décider toi-même de ta retraite ?

Elle le détrompe, racontera-t-elle à Mme de Rémusat, en lui répondant calmement :

— J'obéirai à tes ordres, mais je n'en préviendrai jamais aucun.

Ce fut dit d'un « ton calme et assez digne qu'elle savait fort bien prendre vis-à-vis de Bonaparte et qui n'était pas sans effet ». Et Joséphine, ayant — une fois de plus — repris confiance partit toute souriante pour Fontainebleau où toute la cour allait s'ennuyer ferme du 21 septembre au 16 novembre 1807.

— J'ai rassemblé à Fontainebleau beaucoup de monde dira Napoléon. J'ai voulu qu'on s'y amusât. J'ai réglé tous les plaisirs ; et les visages sont allongés, et chacun a l'air bien fatigué et triste.

Et Talleyrand de lui répondre :

— C'est que le plaisir ne se mène pas au tambour et qu'ici comme à l'armée vous avez toujours l'air de dire à chacun de nous : Allons messieurs et mesdames, en avant, marche !

Il est bien certain que les défilés de la cour devant l'empereur et l'impératrice ressemblaient « à des revues où il y avait des da-

mes », selon le mot de l'un des membres de
la cour impériale. Chaque soir, à Fontainebleau, lorsque Joséphine ne reçoit point chez
elle, on se réunit chez l'une des princesses.
La reine Hortense — encore si souffrante
qu'elle s'était fait transporter à Fontainebleau « par eau »... — Catherine de Wurtemberg, ou Caroline, grande duchesse de
Berg — et très bientôt reine de Naples — ou
encore Paulette, duchesse de Guastalla et demain la princesse Pauline, reçoivent à tour de
rôle les dimanche, mardi, jeudi et samedi.
Vers huit heures, la cour, en grande tenue,
se place en cercle et se regarde *sans parler*.
Joséphine entre, parcourt le salon et ensuite,
nous dit Mme de Rémusat à qui il faut bien
donner la parole si l'on ne veut point être taxé
d'exagération, « ensuite l'impératrice prenait
sa place et attendait comme les autres *en silence* l'arrivée de l'empereur ».

Enfin Napoléon fait son entrée. Instanta-
nément, tout le monde se lève avec une
promptitude si incroyable, que ce mouvement, remarquera le dramaturge Alexandre
Duval, ne pouvait se comparer « qu'à un
temps dans l'exercice du maniement d'armes ».

Quand il ne passe pas — comme chez lui
— la revue des invités — second mouvement
de la « manœuvre » — l'empereur prend
place près de sa femme et regarde danser.

Mais « son visage était loin d'encourager le plaisir, aussi le plaisir ne se mêlait-il guère à de pareilles réunions »...

L'ennui ruisselle des murs. On bâille aussi au spectacle donné les lundi, mercredi et vendredi tout au long de ce « grand séjour » de Fontainebleau. Sur 18 représentations, on compte 12 tragédies, « les éternelles tragédies », qu'il faut bien supporter. La cour s'y ennuie mortellement, c'est Mme de Rémusat qui nous l'affirme. Les jeunes femmes s'y endorment... et ne sont même pas réveillées par par les applaudissements car il est interdit d'applaudir en présence de l'empereur. Il lui arrive d'ailleurs, à lui aussi, de rêver et de s'endormir les soirs de chasse. Joséphine ne le réveille que le rideau descendu pour la dernière fois, et l'on se sépare « tristes et mécontents ».

« L'empereur, nous dit Mme de Rémusat s'apercevait de cette impression ; il en prenait de l'humeur, s'attaquait à son premier chambellan, blâmait les acteurs, aurait voulu qu'on en trouvât d'autres... »

Il lui arrivait aussi de changer le spectacle le matin même de la représentation.

— Je le veux, disait-il.

« Dès que l'empereur avait proféré cet irrévocable *je le veux*, ce mot se répétait en écho dans tout le palais. Duroc, Savary surtout, le prononçaient du même ton que lui ;

M. de Rémusat le répétait à tous les comédiens, étourdis des efforts de mémoire ou du dérangement subit auquel on les soumettait. Les courriers partaient pour aller chercher à toute bride les hommes ou les choses nécessaires. »

On ne se réveille, trois fois par semaine, que pour se rendre à la chasse. Au son de *la Bonaparte* — qui a remplacé *la Royale* — on galope dans cette forêt où se perdit Saint Louis, et où Philippe le Bel se blessa mortellement en tombant de cheval. Joséphine, et toutes les dames de sa maison, sont en robe de velours amarante brodées d'or, tandis qu'Hortense a choisi une amazone de velours bleu brodé d'argent. C'est la mort dans l'âme que l'impératrice suit la chasse. Elle ne l'aime guère, son cœur répugne à ce carnage. Un jour — c'était à Rambouillet — le cerf poursuivi par la meute vint se réfugier sous sa voiture. Des larmes coulaient de ses beaux yeux et Joséphine supplia qu'on lui accordât la grâce de l'animal. L'ayant obtenue, elle attacha au cou du cerf un collier d'argent afin qu'il soit protégé à l'avenir.

Pour remettre Fontainebleau en état de recevoir, la cour, l'empereur n'a pourtant point lésiné. Les appartements ont été remeublés, le parc a retrouvé sa jeunesse et l'étang a été curé par des prisonniers de guerre. On y a

même mis des cygnes « pour empêcher les
herbes de revenir » et l'on s'apprête à y re-
plonger les célèbres carpes pêchées et ven-
dues pendant la Révolution, ou tout au
moins leurs enfants ou leurs sœurs...

Mais, en dépit du cadre, le château est
comparé à une vraie galère où, sous l'œil im-
pitoyable du maître, chacun « rame selon l'or-
donnance ». « Ramer » n'empêchait toutefois point de penser et de cancaner sitôt les
maîtres retournés dans leur « intérieur »,
anciens appartements royaux du rez-de-
chaussée et du premier étage donnant sur le
jardin de Diane.

On rit — car on est méchant — de voir
Jérôme délaisser déjà sa femme pour conter
fleurette à la jolie Stéphanie, toute marrie
de n'être plus rien que princesse de Bade,
alors qu'il n'y a guère longtemps, fille adop-
tive de Napoléon, elle avait le pas sur toutes
et sur tous.

Les amours de l'empereur forment évidemment le fond de toutes les conversations. On
trouve naturel de voir l'empereur attiré par
le visage de l'Italienne Carlotta Gazzani, lec-
trice de Joséphine, le plus beau visage de la
cour : un visage aux lignes pures, illuminé
par des yeux noirs, des dents éclatantes et un
rire « de côté ».

Bien entendu, Joséphine veut en avoir le
cœur net et, persuadée, un jour, que son mari

reçoit Mme Gazzani, elle essaye d'entrer
dans le cabinet. Constant s'interpose :

— Cela est impossible, Madame, j'ai reçu
l'ordre formel de ne pas déranger Sa Majesté. L'empereur travaille avec un ministre.

Ce « ministre » est, en effet, la belle Carlotta... Joséphine revient par deux fois, et,
chaque fois, Constant l'empêche de passer...
Le même soir, l'empereur dit sévèrement à
son valet de chambre :

— L'impératrice m'a assuré tenir de vous
que j'étais enfermé avec une dame.

Constant n'a pas de mal à se disculper,
mais l'on voit par là que, pour Joséphine
toutes les roueries sont bonnes pour parvenir à ses fins...

Cependant, cette fois, Joséphine ne témoi-
gna pas d'une jalousie excessive. Mme Gazzani n'avait mis à sa chute « aucun éclat, aucune prétention ». Elle continua à témoigner
respect et affection à sa maîtresse, tandis que
l'empereur traitait sa « passade » en public
presque avec froideur...

Joséphine prit d'autant plus « promptement le parti de se prêter avec complaisance
à des amusements auxquels il lui aurait été
impossible de s'opposer longtemps », que son
mari lui avait avoué qu'il ne s'agissait là que
d'une « froide liaison ». Exception faite de
Marie Walewska — sa « femme polonaise » —
Napoléon racontait maintenant le plus

souvent possible à Joséphine ses « galante-
ries » auxquelles il n'attachait pas la moindre
importance. Bien plus, nous dit la femme de
chambre de l'impératrice, « il lui en disait
plus qu'elle ne demandait à le savoir, lui ci-
tait même des imperfections cachées, et lui
nommait à propos d'un autre aveu, telle ou
telle dame de la cour dont il n'était nullement
question, et qui n'avait rien eu à lui refuser ».

Joséphine se gardait bien de lui montrer
que cette attitude relevait plus de la vie de
camp que de celle des boudoirs. Elle l'eût
fait qu'il l'aurait appelée — comme il le faisait souvent — « ma grosse bête », en l'embrassant dans le cou ou sur le visage...

-:-

Brusquement, à la fin du mois d'octobre,
— la cour se trouve encore pour quinze jours
ou trois semaines à Fontainebleau — l'eu-
phorie s'effondre à la suite d'une conversation avec Fouché. C'était un dimanche,
après la messe. Tenant Joséphine dans l'embrasure d'une fenêtre, le ministre de la Police,
de ses lèvres minces — et d'une voix pape-
larde — ose lui déclarer « que le bien public,
que la consolidation surtout de la dynastie
actuelle exigeant que l'empereur eût des enfants, elle devrait bien adresser des vœux au
Sénat afin qu'il se réunît à elle pour appuyer

près de son époux la demande du plus pénible sacrifice pour son cœur ».

Joséphine sentit toute la pièce vaciller.
Fouché le racontera : « Son teint se colora
d'abord, elle pâlit ensuite, ses lèvres se tumé-
fièrent, j'aperçus dans tout son être des si-
gnes qui me firent redouter une attaque de
nerfs, ou tout autre explosion. Ce ne fut
qu'en balbutiant qu'elle m'interpella :

« — Avez-vous reçu de l'empereur l'ordre de me faire une aussi triste insinuation ?

« — Je n'ai reçu aucun ordre, Madame,
mais je pressens les nécessités de l'avenir. »

C'est presque avec violence qu'elle s'exclame :

— Sur ce point, je n'obéirai qu'aux ordres
de mon mari.

Fouché, prétextant « d'avoir à conférer
avec l'un de ses collègues », s'incline et prend
congé.

Le ministre n'a reçu aucun ordre de Napoléon, mais il a parlé à l'empereur, et lui a
même lu un Mémoire. « Je lui représentai, ra-
contera-t-il, la nécessité de dissoudre son mariage, de former immédiatement, comme empereur, un nouveau nœud plus assorti et plus
doux, et de donner un héritier au trône sur lequel la Providence l'avait fait monter.

« Ma conclusion était la conséquence naturelle des considérations et des arguments les
plus forts et les plus solides que pussent sug-

gérer les besoins de la politique et les nécessités de l'Etat... »

Napoléon, « sáns rien manifester de positif », s'était contenté de « laisser entrevoir »
ses sentiments.

Assurément, sous le point de vue politique,
« la dissolution de son mariage était arrêtée
dans son esprit ».

— Mais d'un autre côté, je tiens singuliè-
rement, par mes habitudes autant que par
une sorte de superstition, à Joséphine. La démarche qui me coûterait plus serait de lui si-
gnifier le divorce.

Considérant ce qu'il reconnaissait lui-même
pour être des « monosyllabes significatifs »,
Fouché, « poussé par un excès de zèle »,
s'était résolu à « ouvrir la brèche et d'amener
Joséphine sur le terrain de ce grand sacrifice
que réclamaient la solidité de l'empire et la
félicité de l'empereur ».

Le ministre — on s'en doute — se mo-
quait pas mal de la « félicité de l'empereur ».
Mais, ancien régicide, il craignait de voir Napoléon épouser une archiduchesse, petite-
nièce de Marie-Antoinette. Partisan du mariage russe, il préférait prendre les devants,
devenir l'artisan du divorce afin de se trouver bien placé pour conseiller, au lendemain
de Tilsitt, une alliance avec la sœur du tsar.
Il allait maintenir ouvrir davantage « la brèche ».

Quelques jours plus tard, il est minuit lorsque M. de Rémusat est appelé d'urgence auprès de Joséphine. Il la trouve « échevelée, à demi déshabillée et avec un visage renversé ». Elle vient de recevoir une longue lettre de Fouché. Cette fois, le ministre lui fait miroiter combien serait beau son rôle de sacrifiée. La France lui devrait son avenir :

« Il ne faut pas se le dissimuler, Madame, l'avenir politique de la France est compromis par la privation d'un héritier de l'empereur. Comme ministre de la Police, je suis à portée de connaître l'opinion publique, et je sais qu'on s'inquiète sur la succession d'un tel empire. Représentez-vous quel degré de force aurait aujourd'hui le trône de Sa Majesté s'il était appuyé sur l'existence d'un fils ! »

Fouché termine en affirmant que l'empereur ignorait sa démarche : « Je pense même qu'elle lui déplairait », précisait le bon apôtre, et il demandait « le plus profond secret. »

— Que ferai-je ? demande Joséphine, la voix entrecoupée de sanglots.

— Madame, répondit Rémusat, je vous conseille fort d'aller à cet instant même chez l'empereur, s'il n'est pas couché, ou d'y entrer demain de fort bonne heure. Songez qu'il ne faut pas que vous ayez eu l'air de consulter personne. Faites-lui lire cette lettre, observez-le, si vous pouvez ; mais, quoi qu'il en soit, montrez-vous de ce conseil, détournée, et déclarez-lui de nouveau que vous n'obéirez qu'à un ordre positif qu'il prononcera lui-même.

D'après Mme de Rémusat, Joséphine, dès le lendemain matin, se précipite chez l'empereur. Selon Hortense, l'impératrice suit le conseil de Fouché et attend que son mari soit mis au courant. Quoi qu'il en soit — et dans l'une ou l'autre version — Napoléon paraît indigné, désavoue Fouché, affirme qu'il a parlé « sans mission » :

— C'est un excès de zèle, il ne faut pas lui en savoir mauvais gré, au fond. Il suffit que nous soyons déterminés à repousser ses avis, et que tu croies bien que je ne pourrais pas vivre sans toi.

A Sainte-Hélène, il précisera même qu'il avait été « extrêmement choqué » de la conduite de Fouché. Cependant, puisque plus ou moins à son insu le terrain se trouve ainsi bien préparé, Napoléon — nous le savons par Hortense — demande à sa femme « ce qu'elle en pensait ». Joséphine ne peut que répéter ce qu'elle avait dit à son mari quelques semaines auparavant :

— Jamais je ne serai la première à demander une chose qui pourrait m'éloigner de toi. Notre destinée est trop extraordinaire pour ne pas avoir été marquée par la Providence, et je croirais porter malheur à tous les deux si, de ma propre volonté, je séparais ma vie de la tienne.

Elle a, à nouveau, frappé juste en évoquant la superstition qui sommeille toujours quelque peu dans le cœur de tout Corse.

Cependant, elle tire toute la leçon du fait que Napoléon — c'est là bien significatif — refuse de « chasser » son ministre. « Il était évident pour moi, remarquera Fouché, que si déjà il n'eût arrêté secrètement son divorce, il m'eût sacrifier, au lieu de se borner à un simple désaveu de ma démarche. »

Le ministre de la Police voyait juste. A Sainte-Hélène, Napoléon le dira :

— Je l'eus renvoyé sur-le-champ pour s'être mêlé de ce qui se passait dans mon lit, si cela n'eut paru vouloir rejeter une opinion qu'il m'importait plutôt d'accréditer.

Aussi le futur duc d'Otrante, va-t-il encore élargir « la brèche ». Le mardi 17 novembre, dès le lendemain même du départ de Napoléon pour l'Italie et du retour de Joséphine à Paris — l'Empereur avait refusé de l'emmener avec lui — Fouché adresse à son maître ce bulletin :

« *Paris*. Dans toutes les sociétés on s'entretient des causes du départ de Sa Majesté de

Fontainebleau et des motifs de son voyage en Italie. Chacun explique à sa manière ces causes et ces motifs. On a paru étonné de ne pas voir mardi à la représentation de *Trajan*, Sa Majesté l'Impératrice. Quelques-uns répondaient qu'elle était indisposée, le plus grand nombre parlait de la dissolution de son mariage et d'une alliance de l'Empereur avec la sœur de l'empereur Alexandre. Cette nouvelle est devenue l'entretien de toutes les classes de Paris et la vérité est qu'il n'y en a pas un seule qui ne l'ait accueillie comme une garantie d'une paix prochaine et la durée du repos de l'Etat... »

Dès le jeudi suivant — le jeudi 19 — Fouché récidive avec un art consommé :

« *Paris. Chronique.* — A la cour, chez les Princes, dans tous les cercles, on parle de la dissolution du mariage de l'Impératrice. A la cour, il y a division dans les opinions à ce sujet. Les personnes qui sont dans la confiance de l'Impératrice paraissent persuadées que jamais l'Empereur ne se résoudra à cette dissolution ; elles disent que l'Impératrice est adorée en France ; que sa popularité est utile à l'Empereur et à l'empire ; que le bonheur de l'un et de l'autre est attaché à la durée de cette union ; que l'Impératrice est le talisman de l'Empereur ; que leur séparation sera le terme de sa fortune et d'autres fables de cette espèce qui ressemblent aux contes des

diseurs de bonne aventure ; elles entretien-
nent l'Impératrice dans ses idées, la détour-
nent à paraître en public pour démentir, par
sa présence, tous les bruits qui circulent.
L'autre parti de la cour, qui regarde la dissolution comme une chose que l'établissement
de la dynastie doit nécessairement amener,
cherche à préparer l'Impératrice à cet événement, lui donne les conseils qu'il juge conve-
nables à cette situation. Dans la famille impériale, il n'y a qu'une opinion : *elle est una-
nime pour le divorce*. Dans les cercles de Paris, il n'y a pas deux opinions parmi les gens
attachés à la dynastie : ils paraissent bien
convaincus qu'il n'y a que des enfants de
l'Empereur qui puissent en assurer la durée.
Les égoïstes et les étourdis se montrent seuls
indifférents. Les mécontents jettent des cris
hypocrites sur le sort de l'Impératrice qu'ils
plaignent beaucoup et pour laquelle ils viennent d'éprouver subitement des sentiments
contraires à tous ceux qu'ils avaient manifes-
tés jusqu'ici. »

Rien n'a été oublié ! Mieux, dans ce même
bulletin, parmi « les bruits les plus contra-
dictoires », le ministre fournit incidemment
à l'empereur une idée concernant le sort futur de Joséphine : « Les uns annoncent... que
l'impératrice sera reine de Naples... » Le
jeudi 3 décembre, il affirme que « le public » intéressé par le voyage de l'empereur

en Italie, prétend qu'il « est allé préparer la
retraite royale de l'impératrice Joséphine ».

Le lendemain, Fouché consacre à nouveau
son bulletin du vendredi 4 décembre à Joséphine : « Les femmes moralistes du faubourg
Saint-Germain, écrit-il, jettent les hauts cris
contre le divorce. Mme Hamelin répand dans
le public les confidences qu'elle dit avoir re-
çues à cet égard de Sa Majesté l'Impératrice.
Cette femme et quelques autres de son espèce
se chargent, chaque jour, de commenter, de
provoquer, d'exagérer les plaintes et les chagrins de l'Impératrice : elles se disent parfaitement instruites de ce que tel ou tel jour
l'Empereur a dit à l'Impératrice, de leurs
conversations avant et après le couronnement,
des démêlés avec la famille impériale des in-
trigues qu'on ourdit contre elle et des intri-
gants qui s'en rendent coupables, etc., etc.
Elles prétendent savoir que la stérilité de
l'Impératrice ne provient pas de sa faute ;
que l'Empereur n'a jamais eu d'enfants ; que
les liaisons que Sa Majesté a eues avec plusieurs femmes n'ont jamais eu de résultats,
tandis que ces femmes, à peine mariées, sont
devenues enceintes, notamment une dame
d'annonce, sur laquelle Mme Hamelin donne
les détails les plus extraordinaires. Le ministre a fait dire à cette femme que si doréna-
vant il lui arrivait de prononcer le nom de
l'Empereur ou celui de l'Impératrice, il la fe-

rait arrêter sur-le-champ et conduire à la Salpêtrière. »

Fouché va être obligé de mettre une sourdine à sa campagne. De Venise, le 30 novembre, vivement agacé par la lecture des deux premiers bulletins, Napoléon lui adressait ces lignes sévères : « Je vous ai déjà fait connaître mon opinion sur la folie de la démarche que vous avez faite à Fontainebleau relativement à mes affaires intérieures. En vous conduisant ainsi vous égarez l'opinion et vous sortez du chemin dans lequel tout honnête homme doit se tenir. »

-:-

Le retour de Napoléon — le 1ᵉʳ janvier 1808 — apporte d'abord à Joséphine un peu d'apaisement. Dès le 4, il vont voir ensemble le tableau du Sacre que vient d'achever David, ce tableau qui, à la suite d'un petit complot entre le peintre et l'impératrice figure, non le couronnement de l'empereur, mais celui de Joséphine. Napoléon marque tout son contentement. Elle reprend courage. Assurément, elle peut être tranquillisée par cette joie qu'il témoigne en la voyant représentée si joliment agenouillée dans sa grâce incomparable tandis qu'il s'apprête à lui poser sa couronne.

Mais Fouché veille, et — le 29 janvier —

met sous les yeux de l'empereur ce nouveau
bulletin :

« La femme d'Isabey, peintre, publie des
détails sur l'intérieur de l'Impératrice ; elle
dit que Sa Majesté est sans cesse dans les larmes ; qu'elle a conçu des soupçons sur la
cause de sa dernière maladie, qui la plongent
dans un profond chagrin ; qu'elle désire le
divorce, mais qu'elle n'ose l'avouer, que
Mlle Tascher est aujourd'hui la seule confidente à laquelle elle ouvre son âme. On
parle peu aujourd'hui du divorce ; mais on y
pense depuis qu'on croit avoir la certitude
que l'Impératrice ne peut plus avoir d'enfant. »

Murat continue, lui aussi, à « travailler »
ferme son impérial beau-frère. Il vient unir
ses efforts à ceux de Fouché et maintenant de
Talleyrand. La malheureuse femme ne
l'ignore point et écrit à son fils, le 10 février 1808 : « Tu devines aisément que j'ai eu
bien des sujets de chagrin, et j'en ai encore ;
les bruits qui couraient pendant l'absence de
l'empereur n'ont pas cessé à son retour et
ont, dans ce moment-ci, plus de prôneurs
que jamais. Il est vrai que leurs auteurs n'ont
jamais été punis ; au contraire, on a remar-
qué que ceux qui avaient cherché à les démentir ont reçu un accueil plus froid. Au
reste, je m'en remets à la Providence et à la
volonté de l'empereur ; ma seule défense est

ma conduite que je tâche de rendre irréprochable. Je ne sors plus ; je n'ai aucun plaisir et je mène une vie à laquelle on s'étonne que je puisse me plier, après avoir été accoutumée à être moins dépendante et à voir beaucoup de monde ; je m'en console en pensant que c'est me soumettre au désir de l'empereur. Je vois ma considération baisser tous les jours tandis que d'autres augmentent en crédit.

« Que les trônes rendent malheureux, mon cher Eugène ! J'en signerai demain, sans aucune peine, l'abandon pour tous les miens. Le cœur de l'empereur est tout pour moi. Si je dois le perdre, j'ai peu de regret à tout le reste ; voilà ma seule ambition et mon cœur tel qu'il est. Je sais bien que ce n'est pas avec cette franchise que l'on réussit, et, si je pouvais, comme beaucoup d'autres, n'être qu'adroite, je m'en trouverais beaucoup mieux, mais je préfère conserver mon caractère. J'ai du moins l'estime de moi-même. »

Il y eut encore, en cette fin d'hiver, une nouvelle discussion entre les deux époux. Selon l'ambassadeur de Russie — le comte Tolstoï — Napoléon « dans un accès d'emportement aurait déclaré à sa femme « qu'elle le forcerait à la fin à adopter ses bâtards ».

Joséphine, selon le diplomate, aurait saisi « avec promptitude » cette solution... S'il faut en croire Napoléon à Sainte-Hélène, c'est Joséphine elle-même qui aurait eu cette idée... mais le projet n'eut pas de lendemain...

Napoléon ne cessait pas moins de penser à ce qu'il considérait de plus en plus comme inévitable. Voyant entrer Hortense qui, au mois d'avril allait donner le jour au futur Napoléon III, il la regarda en soupirant :

— Cela me fait mal de vous voir ainsi. Que j'aimerais votre mère si elle était dans cet état.

Il n'en attendra pas moins près de deux années avant de franchir le pas et de renvoyer Joséphine...

10

L'EXECUTION

Au début du mois d'octobre 1809, Hortense arrive à Malmaison et trouve sa mère — la reine le racontera plus tard — « désespérée de la liaison de l'empereur avec cette jeune Polonaise ». Joséphine sait maintenant que Marie Walewska rejoint Napoléon à Schœnbrunn. Mais elle ignore encore la terrible nouvelle : un jour du mois de septembre 1809, Marie a annoncé à l'empereur qu'elle attend un enfant. Si tout se passait bien, il devait venir au monde au début du mois de mai 1810... Napoléon en avait ressenti une immense joie. Cette fois, il pouvait vraiment le crier : c'est Joséphine qui était stérile. Elle avait fini par lui faire croire que c'était lui... Et il en avait presque pris son parti. Sans doute le grognard de

Boulogne avait-il raison ! Ce grognard à qui un conscrit avait demandé :

— Le petit caporal a-t-il des enfants ?

Et qui avait répondu :

— F... bête, ne sais-tu pas qu'il a ses amours dans sa tête ?

Napoléon s'était résigné. Peut-être devrait-il payer de cette manière son génie ? L'absence d'héritier était-elle la rançon de sa gloire ?

Sans doute, la naissance du petit Léon lui avait-elle permis d'avoir des « espérances ». Cependant, Mlle Denuelle ayant eu également quelques bontés pour Murat — du moins on l'affirmait — Napoléon, à la réflexion, doutait parfois. La belle Pellapra — la coquette et rieuse Lyonnaise — avait eu beau affirmer que la fille qu'elle avait mise au monde — le 11 novembre 1806 — était également de lui, Napoléon était demeuré à demi convaincu. Il la savait — elle aussi — trop entourée !... Sa petite-fille — belle-mère de la princesse Bibesco — dira plus tard :

— Ma grand-mère était très belle et l'empereur voyageait beaucoup.

Cette fois, la certitude était totale ; impossible de douter ! Sa « femme polonaise » ne pouvait être suspectée. Il pouvait procréer ! Il pouvait forger le premier maillon de sa dynastie. Inutile maintenant de faire

d'Eugène ou de l'un de ses neveux son suc-
cesseur. L'héritier du vaste empire serait
son fils.

Joséphine, à Malmaison, tout en attendant le retour de l'empereur, a comme un
pressentiment, ses yeux se mouillent de
larmes, parfois elle pâlit ou frissonne.

— Il fait bien froid, murmure-t-elle, en
ramenant son châle autour d'elle.

C'est son cœur qui a froid. Un jour
qu'elle n'en peut plus, elle entraîne Laure
d'Abrantès et lui parle « avec douleur ».

— Madame Junot... Vous savez qu'ils
veulent tous ma perte... Dites-moi ce que
vous savez sur moi.

Laure ne sait rien, ou plutôt ne veut rien
dire : Tout le monde parle du divorce « et
on en parlait aussi ouvertement, précise
justement la duchesse d'Abrantès, qu'il
était possible de parler sous le règne de Napoléon, de choses qui le concernaient dans
son intérieur ».

Elle implore presque une réponse :

— Dites-moi, je vous en conjure, tout ce
que vous avez entendu dire sur mon
compte. Je vous le demande comme une
grâce.

Elle continue à parler, à vider son cœur...
En dépit de la chaleur qui règne dans la serre
ses mains sont toutes froides, ses lèvres trem-
blent tandis qu'elle reprend, pitoyable :

— Madame Junot, rappelez-vous ce que je vous dis aujourd'hui ici, dans cette petite serre, dans ce lieu qui est un paradis et qui sera peut-être bientôt pour moi un enfer, rappelez-vous que cette séparation me tuera.

Et, pensant à ses terribles belles-sœurs, à Madame mère, elle conclut :

— Eh bien, elles m'auront tuée.

A cet instant, la fille des Junot — la petite Joséphine — accourt lui montrer des fleurs qu'elle vient de cueillir. L'impératrice la prend dans ses bras, la soulève et la serre si fort — presque avec frénésie — que la petite fille en est tout effrayée. Elle regarde les yeux de sa marraine, elle les voit embués par les larmes et se jette à son cou :

— Je ne veux pas que tu pleures !

Joséphine embrasse l'enfant.

— Ah ! si vous saviez, confie-t-elle encore à Mme Junot, si vous saviez tout ce que j'ai souffert chaque fois que l'une de vous apportait son enfant près de moi. Mon Dieu ! moi qui jamais n'ai connu l'envie, je l'ai sentie comme un poison terrible en voyant de beaux enfants... Et moi ! frappée de stérilité je serai chassée honteusement du lit de celui qui m'a donné la couronne... Et pourtant, Dieu m'est témoin que je l'aime plus que ma vie... et bien plus que ce trône.

La malheureuse femme le répète si souvent qu'elle a fini par le croire. Assurément elle l'aime aujourd'hui... aujourd'hui qu'il n'est plus temps !

-:-

Soudain on lui annonce le retour précipité de l'empereur. Il est à Fontainebleau et l'attend. Vite, sa voiture ! Lorsqu'elle arrive au château, « il est nuit fermée ». Napoléon ne vient point au-devant d'elle comme il en avait l'habitude. Elle est aussitôt angoissée. C'est elle, en descendant de voiture, qui doit se rendre au rez-de-chaussée, à la bibliothèque. Napoléon l'accueille par ces mots :

— Ah ! vous voilà Madame ? Vous faites bien car j'allais partir pour Saint-Cloud.

Elle veut s'excuser... mais elle sent les larmes monter à ses yeux et sa gorge se serrer. Assurément — elle en est certaine maintenant — il a pris sa décision.

C'est bien pis lorsqu'elle entre chez elle. La porte de communication entre son appartement et celui de son mari a été murée sur l'ordre de l'empereur !

Les trois semaines qui vont suivre — Napoléon et Joséphine ne rejoindront Paris que le 14 novembre — l'impératrice commencera à gravir son calvaire. Elle se force à suivre son mari à la chasse. En fermant les yeux, elle assiste aux curées, aux hécatombes de sangliers auxquelles il se livre avec une fureur excessive, comme s'il voulait se fuir lui-même... Le soir, elle est seule. Seule dans sa chambre, symphonie de satin violet et blanc, dans son lit aux montants empanachés de plumes blanches... De ses fenêtres, elle voit les fenêtres de l'appartement de Pauline. La sœur de l'Empereur donne des réceptions auxquelles Joséphine n'est pas conviée, des réceptions où la « petite païenne » a invité des femmes « fort belles et fort complaisantes ». Il y en a même une à qui il jette le gant : une Italienne blonde aux yeux bleus, Mme des Mathis.

C'est enfin le retour aux Tuileries.

Le soir du jeudi 30 novembre, le dîner est affreusement silencieux. Joséphine a pleuré toute la journée et, pour cacher ses yeux rougis, s'est coiffée d'un grand chapeau blanc dont la jugulaire est nouée sous le menton. Il la regarde parfois à la dérobée, mais ne prononce pas un mot. Machinalement, de son couteau, il frappe sur son verre. Les officiers de service semblent plantés sur le parquet et n'osent remuer. Le repas n'est servi que pour la forme. On n'entend, nous rapporte Constant, « que le bruit uniforme des assiettes apportées et remportées, tristement varié par la voix monotone des officiers de bouche ».

Soudain, il pousse un profond soupir et demande :

— Quel temps fait-il ?

Mais il ne paraît pas entendre la réponse. Ce simulacre de repas terminé, il se lève, elle le suit à petits pas, son mouchoir sur la bouche pour comprimer les sanglots qu'elle sent monter. Un page présente à Joséphine le café de l'empereur sur un plateau, mais, pour la première fois peut-être, il prévoit le geste de sa femme, prend la tasse lui-même, verse le café, tout en regardant l'impératrice. Elle le voit comme dans un mauvais rêve rendre sa tasse et faire un geste vers les officiers. Il désire être seul avec elle. Bientôt, Constant et le chambellan Bausset perçoivent à travers la porte la pauvre voix de Joséphine demander en se brisant :

— Alors tout est fini ?

Lui, parle... Il parle de « cimenter le bonheur de ses peuples » et prétend souffrir plus qu'elle :

— Puisque c'est moi qui afflige...

Maintenant elle ne retient plus ses sanglots.

— Non, non, tu ne le feras pas ! Tu ne voudras pas me faire mourir !

Lui, continue à s'étourdir de paroles :

— Ne cherche pas à m'émouvoir. Je t'aime toujours, mais la politique n'a pas de cœur, elle n'a que de la tête. Je te donnerai cinq millions par an et une principauté dont Rome sera le chef-lieu.

Joséphine sanglote :

— Non... Je te supplie de me laisser en France... En France... Non loin de toi... Ah !

Soudain un grand cri. La porte s'ouvre. L'empereur paraît, pâle, tremblant :

— Bausset ! Venez...

Le chambellan entre dans la pièce. Joséphine est étendue sur le tapis en proie à une attaque de nerfs. Puis, elle s'évanouit.

— Bausset, êtes-vous assez fort pour enlever l'impératrice et la porter chez elle par l'escalier intérieur qui communique avec son appartement, afin de lui faire donner les soins et les secours que son état exige ?

— Je pense, Sire.

— Bon, allons !

Bausset obéit, soulève Joséphine avec l'aide de Napoléon et l'enlève dans ses bras. L'empereur prend un flambeau sur la table et ouvre la porte du salon qui, par un couloir obscur, conduit au petit escalier descendant chez Joséphine. Puis il le confie au « gardien du portefeuille » qui se tient toujours dans le petit escalier :

— Jacquart, prenez ce flambeau et éclairez notre marche.

Napoléon vient aider Bausset en prenant les jambes de Joséphine tandis que le chambellan soutient l'impératrice par les épaules.

Mais, empêtré dans son épée, il la presse un
peu trop contre sa poitrine et, à son grand
étonnement, il entend l'incorrigible créole
nullement évanouie, et pour qui jouer la comé-
die est une seconde nature, murmurer à mi-
voix :

— Vous me serrez trop fort !...

Dès que l'impératrice a été remise entre
les mains de ses femmes, l'empereur entraîne
Bausset dans son bureau et, bouleversé, commence à faire les cent pas. Les mots s'échap-
pent « avec peine et sans suite » de ses lèvres. D'une voix émue et oppressée, le chambellan l'entend s'exclamer :

— Ah ! C'est affreux... affreux... L'intérêt de la France et de ma dynastie a fait violence à mon cœur... Le divorce est devenu
un devoir rigoureux pour moi... Je la plains
de toute mon âme. Je lui croyais plus de caractère... Et je n'étais pas préparé aux éclats de
sa douleur...

Le 14 décembre à 9 heures du soir doit
avoir lieu « l'exécution »...

Il pleut à verse sur Paris et le vent souffle
en tempête.

Dans sa chambre, Joséphine, tandis qu'on
la coiffe, jette de temps en temps un regard
vers le fatal papier où a été tracé le discours
qu'elle doit prononcer tout à l'heure, pen-

dant la cérémonie. Mais les mots se brouillent sur le papier.

Déjà dans la salle du trône, se pressent les grands officiers de la Couronne et les princes de l'Empire, la famille impériale a pris place dans le grand cabinet. Les Bonaparte exultent. Quant aux Beauharnais ils ont bien du mal à retenir leurs larmes.

Joséphine fait son entrée, peu après Napoléon. Elle traverse la salle du trône, puis pénètre dans le Cabinet.

Elle est vêtue très simplement : une robe blanche, un ruban dans les cheveux, pas un bijou. « Elle est pâle, mais calme » et s'appuie sur le bras de la reine Hortense qui s'est portée au-devant d'elle. Eugène est debout à côté de l'empereur, les bras croisés, et agité d'un tremblement si violent qu'on s'attend à le voir tomber à chaque instant.

Après quelques mots de Napoléon, Joséphine commence à lire le texte qu'elle a préparé elle-même :

— Avec la permission de notre auguste et cher époux... je dois déclarer que...

Mais les sanglots l'étouffent. Elle tend la feuille de papier au comte Régnault de Saint-Jean d'Angély, et c'est le Secrétaire d'Etat qui poursuit la lecture du texte :

— ... Je dois déclarer que, ne conservant aucun espoir d'avoir des enfants qui puissent satisfaire les besoins de sa politique et l'intérêt de la France, je me plais à lui donner la plus grande preuve d'attachement et de dévouement qui ait jamais été donnée sur la terre. Je tiens tout de ses bontés : c'est sa main qui m'a couronnée, et, du haut de ce trône, je n'ai reçu que des témoignages d'affection et d'amour du peuple français. Je crois reconnaître tous ces sentiments en consentant à la dissolution d'un mariage qui désormais est un obstacle au bien de la France...

L'empereur ne fait pas un geste ; il demeure immobile comme une statue, les yeux fixes et presque égarés. C'est ensuite, après quelques mots creux prononcés par Cambacérès, la signature. L'empereur signe le premier, écrasant le Napoléon d'un large trait de plume. Joséphine signe juste en dessous cette barre, comme si elle voulait être protégée par elle. Letizia trace ensuite ces six lettres : *Madame,* puis la plume est tendue à Louis. Ensuite c'est le tour de Jérôme, de Murat, d'Eugène, dont le paraphe compliqué est digne d'un comptable, de Julie, d'Hortense, de Catherine, femme de Jérôme, de Pauline, et enfin de Caroline.

Le lendemain 16 décembre, il pleut à verse. Les deux coups de 2 heures sonnent à Saint-Roch.

C'est l'heure fixée pour l'exécution.

Dans la cour toute la valetaille s'affaire autour des fourgons et des voitures. Joséphine emporte plusieurs centaines de robes, une montagne de paire de bas — 198 —, de chemises — 498 —, de souliers — 685 —, de chapeaux — 87 —, de gants — 980 —, de manteaux de tout genre. Le déménagement a sa note créole, grâce à la présence du perroquet favori de l'impératrice, caquetant dans sa cage, et d'un couple de chiens-loups originaires de Strasbourg, accompagnés de leurs chiots...

Et elle ?

Joséphine, depuis le matin, erre dans son appartement ; cet appartement qui a été remis à neuf seulement au début de cette même année, cet appartement où la future impératrice s'installera bientôt en maîtresse. A cette pensée, ses pleurs redoublent, et c'est en sanglotant qu'elle se jette dans les bras de Napoléon, descendu avec son secrétaire Méneval, par l'escalier dérobé. Il l'embrasse à plusieurs reprises et « très tendrement ».

Elle s'évanouit.

Lorsque Joséphine revient à elle, l'empereur s'est enfui par les salons du rez-de-chaussée. Seul, Méneval, fort ennuyé — on le serait à moins — se trouve près d'elle.

L'empereur est-il déjà parti pour Trianon ? Méneval le croit... En réalité, il ne quittera les Tuileries que deux heures plus tard. Au moins qu'il lui écrive dès qu'il sera arrivé !

Qu'il lui écrive souvent ! Que le secrétaire lui parle de Joséphine ! Ah ! Et puis que le cher Méneval lui dise ceci, lui recommande cela... Elle peut compter sur lui n'est-ce pas ? Elle ne parvient pas à quitter Méneval, le dernier lien qui l'attache encore à Napoléon. Il faut cependant partir... franchir cette porte « au-delà de laquelle elle ne sera plus rien »... plus rien qu'une impératrice honoraire.

C'est fait.

Voilée, un mouchoir à la main, appuyée sur le bras de sa dame d'honneur Mme d'Arberg, elle traverse le salon rempli de dames qui ne peuvent retenir leurs larmes, puis le vestibule où se trouvent massées « toutes les personnes que leur service ne retient pas ». Un « concert de lamentations », nous dit Constant, se fait entendre et, sans jeter un regard en arrière, elle arrive devant la voiture qui stationne depuis plus d'une heure dans la cour. L'*Opale*, une haute voiture toute dorée que l'Empereur a baptisée de ce nom, considérant la couleur irisée de l'opale « comme un signe de malheur et d'espérance »... Sur la portière étincellent les lourdes armes de l'empire français. Dieu que la voiture est haute ! Le marchepied se déroule. Quatre marches ! Presque autant que pour monter à l'échafaud. Peut-être, derrière les rideaux d'une fenêtre, l'empereur regarde-t-il le départ...

En dépit du titre qui lui a été laissé, elle n'est plus impératrice, elle n'est plus qu'un nom dans l'Etat... C'est cette pensée qui la fait sangloter tout au long de ce trajet qu'elle a accompli si souvent à ses côtés. Maintenant elle devra toujours vivre loin de lui ! Certes, elle n'a plus pour « Bonaparte » que de l'affection, une tendresse sans bornes qu'elle prend aujourd'hui pour de l'amour. Il y a aussi des souvenirs communs qui, en ces heures affreuses, se pressent en foule à son esprit.

Il pleut toujours lorsqu'elle arrive à Malmaison.

Elle rompt le silence observé depuis le départ de Paris pour murmurer :

— S'il est heureux, je ne m'en repentirais pas.

Les yeux noyés de larmes elle descend de voiture. Là, tout lui rappelle le passé, les heures heureuses du Consulat, ces heures où elle a commencé à aimer « Bonaparte » et à oublier son polichinelle de Charles...

Une visite seulement : celle de la duchesse de Raguse, Mme Marmont. Elle parle à l'ex-souveraine avec une mine apitoyée. Elle semble venir présenter des condoléances dans une sacristie. Et les pleurs de Joséphine redoublent... Mais le lendemain, la châtelaine de Malmaison voit arriver quelques équipages et un pâle sourire éclaire son visage. Allons, on ne l'oublie pas ! En réalité, Napoléon a passé sa journée à Trianon à demander :

— Avez-vous vu l'impératrice ?...

Alors, pour faire sa cour au maître, on est allé voir l'exilée. « Et vogue le courtisan ! »

A Trianon, Napoléon s'ennuie, est « d'une humeur de chien » et ne cesse de penser à l'absente. Pour l'unique fois de sa vie de souverain, durant trois jours, il ne fait rien. Audiences, séances du Conseil, correspondance — sauf pour elle — sont suspendues. Le cœur a pris la première place ! Pour tout arranger la pluie tombe, inexorable. Brusquement, il jette son jeu de cartes et demande une voiture. Moins d'une heure plus tard il est à Malmaison. La visite est brève. Ils s'assoient sur un banc entre deux ondées et, s'il l'embrasse en arrivant, au départ il se contente de lui baiser la main...

Bientôt il épousera une archiduchesse d'Autriche — Marie-Louise, la petite-nièce de Marie-Antoinette — bientôt il y aura une véritable impératrice aux Tuileries, et « l'Ancienne » devra partir pour le château de Navarre, aux portes d'Evreux.

11

PAUVRE JOSEPHINE

L<small>A</small> proscrite devrait sangloter en partant
pour Navarre... et pourtant elle est plus
calme. L'empereur, à sa demande, a nommé
trois chambellans désignés pour la suivre
dans sa nouvelle retraite : MM. de Turpin,
de Vieil-Castel et Louis de Montholon. Pour
quel motif Turpin est-il cité en premier
lieu, alors qu'il n'est pas marié ?

Parce qu'il est, depuis peu, l'amant — le
consolateur — de Joséphine.

Le comte de Turpin-Crissé porte fort joliment le prénom moyenâgeux de Lancelot,
comme le valet de trèfle... Il est charmant
ce fils du marquis de Crissé, il est dessina-
teur et aquarelliste de talent. Il a surtout
vingt-sept ans... et paraît fort séduisant. An-
dré Gavoty, pour qui, décidément, le lit de

Joséphine n'a point de secret, nous le décrit alors que ce « valet de trèfle » s'apprête « à faire à cœur une impériale levée » : « Des cheveux châtains ramenés en coup de vent sur le front et les tempes, de grands yeux rieurs sous des sourcils bien dessinés, un nez droit, une large bouche dégagée de tout poil, un ovale allongé au menton rond frappé d'une fossette donnent à ce visage une expression avenante et sympathique. Physique de plein air et non d'atelier, visage ouvert de gentilhomme terrien qui ne boude pas devant un perdreau rôti. »

Il ne boude pas non plus devant Joséphine. Recommandé par Hortense, l'ex-impératrice lui avait acheté trois tableaux qu'il avait peints lors d'un voyage en Italie. Elle a vingt ans de plus que lui et elle s'est sentie assez vite attirée par ce « valet de trèfle » qui la regardait avec admiration. L'amour est le sûr élixir de jeunesse et, au mois de mai, lorsque son cousin Maurice Tascher verra Joséphine à Navarre, entre les jeunes et jolies Stéphanie d'Arenberg et Stéphanie de Bade, il s'écriera :

— On pourrait la prendre pour la sœur aînée des Grâces !

De cette même année date le portrait tracé par Bausset. « Il était impossible, nous dit-il, d'avoir plus de grâce dans les manières et dans le maintien. Ses yeux et son regard étaient enchanteurs, son sourire plein de charme, l'ensemble de ses traits et sa voix étaient d'une douceur extrême ; sa taille était noble, souple et parfaite ; le goût le plus pur et l'élégance la mieux entendue présidaient à sa toilette, et la faisaient paraître beaucoup plus jeune qu'elle ne l'était en effet... »

–:–

En apprenant que l'impératrice répudiée venait s'installer près d'Evreux, M. Roland de Chambaudoin, préfet de l'Eure, faillit périr d'émotion : « Rivalisons de zèle, déclarat-il, en reprenant ses esprits, pour exprimer notre reconnaissance sur un bienfait aussi précieux. » Il accueillit avec non moins de fièvre la jeunesse ébroïcienne venue « d'un mouvement spontané » lui proposer la création d'une garde d'honneur. Le projet fut accepté, tandis qu'entre autres préparatifs on louait cinq carrosses destinés aux douze demoiselles qui se porteraient au-devant de Joséphine. Puis on commanda les fleurs qui lui seraient offertes ; dépenses de 84 francs 47 centimes que la ville payera en attendant de la réclamer à M. le Préfet.

Cependant M. de Chambaudoin se demandait jusqu'où devaient aller ses égards pour la proscrite ? Il interrogea à ce sujet, le 17 mars 1810, le ministre de l'Intérieur, en lui expliquant, avec satisfaction : « Je cherche à mettre dans ma conduite tout l'aplomb d'un homme de gouvernement et de quarante-trois ans... »

Lui — et son « aplomb » — tombèrent de haut en recevant une lettre du ministre de l'Intérieur ayant appris la création de la garde d'honneur et « ne pouvant dissimuler » combien cette décision lui paraissait « irrégulière dans sa forme ». Il terminait sa lettre par un coup qui laissa M. le Préfet exsangue : « J'espère donc que ce sera la dernière fois que j'aurai à remarquer un pareil abus. » Et M. de Chambaudoin ignorait que son ministre avait écrit sa mercuriale en sortant du Cabinet de l'Empereur !...

Napoléon avait même fait écrire au préfet pour lui ordonner de veiller à ce que le journal du département ne fasse aucune mention de l'arrivée de Joséphine.

Chambaudoin était d'autant plus contrit qu'il avait fait afficher la lettre de Joséphine annonçant son arrivée et insérer la nouvelle dans le *Journal d'Evreux et de l'Eure*. Cependant on ne pouvait annuler ce qui avait été commandé... Et la « joyeuse entrée » de « Mme la duchesse de Navarre » se déroulera comme prévu dans les rêves de M. le Préfet.

-:-

Le grand jour — jeudi 29 mars, mi-carême de 1810 — arrive.

Entouré des chefs de service de la préfecture, Roland de Chambaudoin se porte à Chauffour, à la limite de son département, entre Bonnières et Pacy-sur-Eure.

Dès qu'apparaissent les voitures, la musique attaque : *Où peut-on être mieux qu'au sein de sa famille ?* La Garde nationale se range en bataille, et les habitants, venus en masse, crient : « Vive l'impératrice Joséphine! » La garde d'honneur à cheval — trente-trois hommes et officiers — fait la haie. Leur habit est « couleur puce », joliment égayé par un collet orange, un gilet blanc et un pantalon bleu de roi... sans oublier une plume blanche au chapeau à cornes et, autour de la taille, une écharpe immaculée. Passant sa tête à la portière de l'*Opale*, Joséphine reçoit le bouquet commandé par M. de Chambaudoin et écoute en pensant à autre chose les protestations de dévouement de M. le Préfet qui lui exprime « toute sa joie et toute celle de son département de posséder dans son sein le modèle de la bonté, de la vertu et des grâces ». La vertu est assurément de trop, mais on en parle tant depuis quinze années que Joséphine a fini par y croire...

Puis la calèche, entourée par la garde d'honneur, reprend sa route. Derrière, suivent voitures et innombrables fourgons où se trouvent 673 robes, sans compter les juives et les habits de chasse, 73 corsets, 400 châles, 498 chemises de mousseline, de toile de Hollande, de batiste ou de percale, 198 paires de bas de soie, 685 paires de souliers, 980 paires de gants et 87 chapeaux...

Il y a aussi les chevaux, car Joséphine amène avec elle toute une cavalerie. Veut-on connaître le nom de quelques-uns d'entre eux ? La *Mésange,* le *Courtisan,* l'*Emaillée* — bais tous trois —, la *Boudeuse* et la *Couleuvre* sont grises, la *Favorite,* grise pommelée, le *Caressant* est noir et porte une marque blanche, l'*Arrogan* est bai rubican, tandis que l'*Etoile,* une jument d'un « gris sale », est légèrement entêtée...

On relaye à Pacy où les inévitables jeunes filles en blanc offrent des fleurs. En arrivant à Evreux, les gardes nationaux, vêtus de bleu, « habillés le plus proprement possible et armés des armes qu'ils peuvent avoir », font la haie place Bonaparte — aujourd'hui place Charles de Gaulle — rue Ferrée, rue de la Harpe, rue de l'Evêché, rue Saint-Taurin, et sur la route de Paris. Les musiques jouent, les canons tonnent, les cloches de la cathédrale Notre-Dame et de Saint-Taurin sonnent à toute volée et Joséphine, tout en essuyant un second discours, celui du maire cette fois — M. Dureau de la Buffardière — pourrait se croire revenue au « bon vieux temps ».

L'évêque — l'octogénaire M. Bourlier —
est absent. Il est en train de s'habiller et
n'aura pas le temps de prononcer son discours, ni de présenter l'eau bénite devant
Saint-Taurin. Le cortège traverse la ville au
pas, tandis que l'impératrice, précise le préfet dans son rapport, « salue tout le monde à
son passage de la manière la plus gracieuse ».

Lorsque, après 3 kilomètres sur la route
menant à Conches, Joséphine voit devant
elle sa nouvelle résidence, se dressant au
centre d'un terrain marécageux coupé de
parterres d'eau, de bassins, de canaux, elle
croit à un cauchemar : un cube aussi haut
que large, placé lui-même sur un piédestal
d'escaliers et de gazons, surmonté d'une couronne de cheminées ; au centre, un dôme
juché sur une rotonde de six fenêtres et dont
le sommet a été tronqué pour y aménager
une plate-forme. Là, devait être érigée la
statue de Turenne, oncle du deuxième
comte d'Evreux, auteur de cette atroce pièce
montée. Fort heureusement, le socle est resté
vide, mais le château n'en semble pas moins
être inachevé et les Ebroïciens l'appellent
familièrement « la Marmite »...

L'*Opale* de Joséphine s'est arrêtée.
Sur la terrasse, « deux petites demoiselles »
déguisées en bergères offrent des fleurs et

deux agneaux enrubannés, puis elles chan-
tonnent :

> *Des bergères de ce séjour,*
> *Nous venons vous offrir l'hommage*
> *Il est simple et sans art comme on est au vil-*
> [*lage,*
> *Où l'on ne connaît point le brillant de la*
> [*Cour.*

> *Votre présence désirée*
> *Va ramener le bonheur parmi nous.*
> *Ici de tous les cœurs vous serez adorée.*
> *Est-il un empire plus doux ?*

Après avoir pris le bouquet et embrassé
les deux bergères, Joséphine emprunte l'un
des quatre escaliers de pierre ouvrant sur
chaque face de la Marmite. Ils conduisent à
quatre vestibules aboutissant tous au même
salon, un hall plutôt, pavé de marbre, qui
tient toute la hauteur du bâtiment et ne reçoit de lumière que par les fenêtres du
dôme. L'un des angles est réservé à Joséphine, le second contient deux salons
— dont l'un, le dimanche, sert de chapelle —
le troisième comporte deux pièces : la chambre destinée à Hortense et la salle à manger
qui donne, par deux fenêtres, sur l'avenue
de l'arrivée. Dans le quatrième angle a été
construit le grand escalier de pierre. Au pre-

mier étage les appartements ruisselants d'humidité, délabrés, quasi démeublés, aux boiseries pourries, aux cheminées fumantes, aux fenêtres mal jointes, tournent autour de l'étrange salon au plafond de cathédrale où règne un vrai blizzard, et au profit duquel tout a été sacrifié. Il y a bien, à deux pas, le petit château, mais il est encore plus misérable que la Marmite.

Le soir, en se glissant dans les draps humides de son lit, Joséphine, repensant à sa « joyeuse entrée », soupire :

— N'est-ce pas, mademoiselle d'Avrillon, qu'ils avaient l'air de me faire des compliments de condoléance ?

Pendant ce temps M. de Chambaudoin écrit son rapport. Le préfet n'ignore pas que Mme Gazzani, qui accompagne Joséphine, a été la maîtresse de l'empereur, aussi — flagorneur à souhait — éprouve-t-il le besoin d'ajouter à sa lettre ces lignes : « On ne peut que juger très favorablement une dame dont les traits sont aussi réguliers et dont la beauté est aussi parfaite. » Mme Gazzani est belle, en effet, et comme le dit Mme de Rémusat, « on lui permet de le savoir et d'en être vraiment contente ».

Croyant ainsi avoir « amadoué » le maître, le préfet prend sur lui, le lendemain, de débaptiser la rue du Département pour l'appeler la *rue de l'Impératrice*, tandis que la rue Saint-Taurin portera le nom de *Joséphine* et le conservera jusqu'à nos jours.

-:-

A Navarre, la valse d'argent se poursuit — bien sûr — et Joséphine continue à faire des dettes. Le coulage est impérial. M. de Monaco — le grand écuyer — refuse de voyager autrement qu'en voiture à six chevaux, précédée d'un piqueur et d'un courrier. Tout prince, presque souverain qu'il soit, le premier écuyer — il l'avoue — fournit lui-même, sous un prête-nom, le fourrage destiné aux 60 chevaux... qui ne sont que 50 d'ailleurs. Irrégularité qui laisse rêveuse Joséphine...

Lorsque Joséphine apprend certains faits, elle se met parfois en colère, ce qui lui ressemble bien peu. C'est ainsi qu'un matin son premier maître d'hôtel lui affirme qu'il est impossible d'avoir à Navarre moins de vingt-deux tables réservées à la domesticité, et servies *séparément* :

— Il y a une hiérarchie dans la classe inférieure, bien plus sensible que dans le salon de Sa Majesté.

Joséphine va trouver Mme d'Arberg — elle règne sur la maison — qui est souffrante, et tient une vraie conférence dans sa ruelle.

— Concevez-vous, mesdames, rien de pareil au gaspillage dont je suis en butte ? Comment, les cuisiniers ne veulent pas manger avec les filles de cuisine et les marmitons ? Les frotteurs avec les feutriers ? Les dames d'annonce ne dînant pas avec moi, vos femmes refusent de dîner avec les leurs ; enfin l'étiquette d'antichambre me ruine. Mme d'Arberg, il faut absolument mettre ordre à cela.

Mme d'Arberg s'emploie à réduire le nombre des tables, mais ne parvient pas à descendre au-dessous de seize, ce qui est d'autant plus énorme, nous révèle Georgette Ducrest, « que les valets de pied et les gens de l'écurie ne sont pas nourris ».

L'empereur a envoyé Mollien pour essayer d'endiguer le coulage. On découvre le montant des dettes : 1 159 494 francs 65 centimes. En vendant des bois de Navarre et de Malmaison on comblera une partie du déficit, car Napoléon a déclaré à Mollien :

— Elle ne peut plus compter sur moi pour payer ses dettes ; je n'ai plus le droit de rien ajouter à ce que j'ai fait pour elle ; il ne faut pas que le sort de sa famille ne repose que sur ma tête... Je suis mortel, et plus qu'un autre.

Mollien a expliqué que Joséphine avait

promis, en pleurant, de faire l'impossible
pour ne pas dépasser, en 1812, le cap des
trois millions.

— Mais il ne fallait pas la faire pleurer,
s'est exclamé l'empereur « sincèrement dé-
solé ».

Et il lui écrit aussitôt :

« J'ai été fâché contre toi pour tes dettes ;
je ne veux pas que tu en aies. Au contraire,
j'espère que tu mettras un million de côté
tous les ans pour tes petites-filles quand
elles se marieront. Toutefois, ne doute jamais de mon amitié pour toi et *ne te fais
aucun chagrin là-dessus.* »

Jusqu'au bout, lui comme elle demeure-
ront semblables à eux-mêmes.

-:-

Au mois d'avril 1810, Napoléon a permis
à son ex-femme de retourner à Malmaison.
Elle reviendra seulement à Navarre quelques
semaines dans le courant de cet été 1811,
mais, ensuite, dès le mois de septembre, elle
demeurera à Malmaison tout l'automne,
l'hiver et le printemps de 1812, et ne retour-
nera dans sa demeure normande que lorsque
seront venues les heures sombres.

Joséphine est heureuse de retrouver son

cher château, à l'ameublement peut-être
« de toutes les couleurs », de tous les styles,
mais elle aime son amas de colifichets. Sa
chambre vient d'être refaite. Elle trouve
délicieux — et elle a raison — son nouveau
lit signé *Jacob Desmalter*. Surmonté d'un
baldaquin ovale, il est porté par quatre cornes d'abondance, tandis que deux cygnes
en bois doré entourent le chevet. Le décor et
les sièges sont amarante, les fenêtres et le
lit drapés de mousseline ; le tout est brodé
d'or (1).

La toilette de vermeil, offerte par la ville
de Paris au moment du couronnement, trône
entre deux fenêtres. Joséphine a interdit que
l'on fasse le moindre changement dans « la
plus belle chambre qu'on puisse voir », celle
de l'empereur dont le lit romain, placé sur
une estrade recouverte de peaux de tigre,
est « d'une forme antique, simple et irréprochable ». Il lui arrive de se rendre à la ren-
contre de ses souvenirs dans cette pièce où
une « tente spacieuse » tient lieu de rideaux.
Dans le bureau de l'empereur, la plume demeure posée près de l'encrier... Tout est ici
« comme autrefois ». La mappemonde porte
encore « les marques de quelques mouvements d'impatience »...

(1) L'actuel ciel de lit — ô ironie involontaire du Garde-
Meuble national ! — serait celui que Napoléon et Marie-Louise
eurent au-dessus d'eux, lors de leur nuit de noces à Compiègne...

— Mes reliques, dit-elle, en enlevant elle-
même la poussière des objets qui lui sont familiers et lui rappellent le passé.

N'y a-t-il pas là un peu d'affectation ? Ne
cultive-t-elle pas une douleur qui commence
à s'estomper ? Ne semble-t-elle pas essayer
de penser à l'homme qu'elle a perdu, alors,
nous l'avons dit, qu'elle regrette bien davantage l'empire.

A Malmaison, elle se retrouve dans un élé-
ment qu'elle aime, une vie de perpétuelles
réceptions. Pour être reçu on s'adresse à la
dame d'honneur qui fixe le jour, et la visite
s'achève toujours par une prochaine invita-
tion à déjeuner ou à dîner. Il est évidemment
d'usage de remercier par une nouvelle visite.
Ce n'est plus le laisser-aller de Navarre,
mais seule, Joséphine ne le regrette pas. Dès
9 heure du matin, les dames de la maison
et celles qui logent au château — comme
Georgette Ducrest et sa mère — doivent se
trouver « parées et coiffées », et les hommes
reçoivent l'ordre de revêtir l'uniforme ou l'habit brodé pour recevoir les invités. Ceux-ci
sont dans l'obligation d'être, eux aussi, dans
la même tenue et réunis bien avant l'heure
fixée pour le déjeuner. Après le repas qui dure
trois quarts d'heure, c'est la classique partie
de billard gagnée, bien entendu, par l'invité

le plus important... La foule des visiteurs de l'après-midi arrive bientôt.

Il faut donner ici la parole à Georgette Ducrest :

« Lorsque le temps le permettait, on allait visiter les serres ; on prenait tous les jours la même allée pour s'y rendre, on causait sur le goût de Sa Majesté pour cette science si intéressante, sur sa prodigieuse mémoire, qui lui faisait nommer toutes les plantes ; enfin on disait presque toujours les mêmes phrases, à la même heure, ce qui rendait ces promenades ennuyeuses et fatigantes. Dès que je mettais le pied dans cette jolie allée, que j'avais trouvée charmante le premier jour, les bâillements s'emparaient de moi avec une violence que j'avais peine à maîtriser pour répondre et soutenir un entretien fastidieux par sa monotonie. Après avoir examiné jusqu'aux étamines de la fleur la plus rare, nous allions admirer les cygnes noirs (infiniment moins beaux que les blancs, ces derniers ont le malheur d'être plus communs). Il était convenu que ces oiseaux, dont le plumage rappelle celui du dindon, étaient magnifiques ; on entendait encore là le récit du chambellan de service sur la difficulté de naturaliser ; il assurait gravement qu'ils ne pouvaient s'acclimater qu'à Malmaison. »

Certains admiraient tout de confiance. Un

jour on put voir un prince étranger s'extasier
sur l'aqueduc de Marly.

— Qu'est-ce là ? demanda-t-il.

— Cela ? répondit Joséphine.

— Oui, madame.

— C'est une galanterie que Louis XIV
m'a faite.

« Les personnes venues le matin étaient
congédiées par l'arrivée des calèches de Sa
Majesté, qui indiquaient qu'elle allait sortir.
Rarement elle retenait les dames pour se promener avec elle. Comme à Navarre, elle dési-
gnait celles de sa maison qui devaient la suivre. Nous montions dans les autres équipages ; on traversait le parc, et pendant deux
heures on arpentait le bois de Butard ; nous
n'allions jamais d'un autre côté. Nous ren-
trions faire une toilette plus recherchée pour
le dîner, auquel étaient toujours invitées
douze ou quinze personnes. »

Bien entendu, tout en savourant, il est
d'usage d'affirmer que l'on n'a jamais bu du
meilleur lait et mangé du meilleur beurre
que celui de la table de Malmaison. Les pro-
duits laitiers proviennent, en effet, du trou-
peau de vaches importées de Suisse avec un
jeune ménage bernois, en costume de leur
canton. Par ailleurs, la femme du concierge
de Malmaison, d'origine anglaise, excelle dans
la confection des fromages de chester et des
mouphines — lisez muffins — que Joséphine

aime particulièrement. A son fils, elle a demandé de lui faire parvenir de « bons fromages » d'Italie. Deviendrait-elle gourmande ?
Quoi qu'il en soit, Joséphine grossit trop à
son gré — et, bien entendu, *ailleurs* qu'elle le
désirerait — c'est ainsi depuis la création de
la femme. « Il y a surtout une partie de sa
personne, nous dit Mme d'Abrantès, qui
s'est accrue d'une manière tout extraordinaire... »

Lorsque doit venir dîner un gastro-
nome, tel Grimod de la Reynière, elle convo-
que dès le matin son premier maître d'hôtel
et, tandis qu'on la coiffe, combine avec lui
un menu qui permette à son hôte de se donner quelques bonnes indigestions, de celles
appelées par lui : des remords d'estomac. Le
cardinal Maury s'offre lui aussi ce genre de
regret cuisant : à dix heures du soir, lorsque
les valets passent rafraîchissements, glaces
et surtout pâtisseries, le prélat dévore comme
quatre...

« A minuit, poursuit Georgette, Sa Majesté
se retirait et nous montions dans nos chambres. Le lendemain, nous recommencions,
et à moins d'événements extraordinaires, chaque jour se ressemblait exactement. Rien
n'était plus triste que ce genre de vie *am-
phibie,* si je puis m'exprimer ainsi. Nous
n'étions pas assez solennels pour une Cour,
et beaucoup trop guindés pour former une

réunion agréable. Chacun s'observait ; pas
la moindre intimité n'était possible. Toujours en représentation, on ne trouvait pas
un instant pour causer avec les gens qui plaisent ; et au lieu de ces intéressantes lectu-
res, de ces aimables entretiens de Navarre, il
fallait supporter régulièrement l'ennui de
cette foule de lieux communs en usage dans
le monde, qui ne laissent après eux, pour
souvenir, qu'un vif regret d'avoir passé son
temps à les dire ou à les écouter... »

-:-

Avant de connaître Marie-Louise, Napoléon avait pensé, non sans naïveté que ses
deux femmes pourraient se rencontrer. Il
abandonna ce projet en constatant — non
sans satisfaction — que l'archiduchesse était
aussi jalouse que l'ex-vicomtesse. Au seul nom
de Joséphine prononcé en sa présence, elle
avait des vapeurs... et pourtant elle s'était
imaginé que la « précédente impératrice avait
quatre-vingts ans ! » Un jour, en quittant
Saint-Cloud par le pont tournant, l'empereur,
arrivé à l'embranchement de la route menant
à Malmaison, lui avait proposé — Joséphine
se trouvant à Navarre — d'aller visiter sa
demeure.

— C'est un joli jardin.

Pour toute réponse la « nouvelle » avait
éclaté en sanglots. Il l'avait tranquillisée :

— C'est une promenade que je vous proposais. Vous ne voulez pas y aller, n'en parlons plus ; mais il ne faut pas pleurer pour cela.

Cependant, l'impératrice exilée avait changé d'avis et aurait bien voulu maintenant connaître la molle archiduchesse. Napoléon l'en avait dissuadée :

— Tu as tort. Aujourd'hui, elle te croit vieille et ne pense pas à toi. Si elle te voit avec tes grâces, tu pourrais lui donner de l'inquiétude et elle demandera que je t'éloigne. Il faudra le faire. Tu es bien ; reste tranquille !

Joséphine — flattée — n'a pas insisté. Cependant, un jour que Napoléon est venu la voir en cachette de « l'Autre », elle lui demande la permission de connaître le petit roi. L'empereur élude, puis explique à Mme de Montesquiou, gouvernante du roi de Rome :

— Cela ferait tant de peine à l'impératrice que je ne puis me décider à vous donner des ordres pour une telle entreprise.

— Laissez-moi faire, sire, répondit *Maman Quiou* ; approuvez seulement ce que j'aurai fait.

— J'y consens, mais prenez garde de vous perdre.

La gouvernante fait alors savoir à Joséphine par le premier écuyer du roi de Rome — le baron de Canisy — qu'elle ira avec l'enfant se promener à Bagatelle, le dimanche suivant :

« Pour ne pas laisser deviner notre secret, j'avais convenu avec M. de Canisy que je lui dirais, en montant en voiture, que je lui abandonnais le choix de la promenade. Peu de temps après, je le rappelai pour lui dire que si l'enfant avait besoin de s'arrêter, nous irions à Bagatelle. Effectivement, nous y arrivâmes. En entrant dans la cour, M. de Canisy, avec un air d'étonnement, vint m'annoncer que l'impératrice Joséphine était là. Je lui répondis :

« — Nous sommes trop avancés pour reculer ; cela serait inconvenant.

« Elle était dans le petit cabinet du fond. Elle nous fit entrer tout de suite. Elle se mit à genoux devant l'enfant, fondit en larmes et lui baisa la main en disant :

« — Mon cher petit, vous saurez un jour l'étendue du sacrifice que je vous ai fait ; je m'en rapporte à votre gouvernante pour vous le faire apprécier.

« Après avoir passé une heure avec l'enfant et moi, elle voulut voir tout ce qui composait dans ce moment le service du jeune roi. Elle fut aimable, comme elle l'était toujours, et le fut tellement pour la nourrice que cette femme dit, en remontant en voiture :

« — Dame, que celle-ci est aimable ! Elle

m'en a plus dit en un quart d'heure que
« l'Autre » pendant six mois. »

-:-

Joséphine est devenue infiniment plus ma-
ternelle qu'autrefois, ou plutôt grand-mater-
nelle. Elle n'a pas de plus vif plaisir que d'ac-
cueillir des enfants à Malmaison. Elle va
même jusqu'à recevoir et combler de gâteries
le petit Alexandre et sa mère Marie Waleska...
Spectacle piquant : Mme Grazzani assiste-
t-elle à ces effusions ? Lorsque, en juin et
juillet 1813, la reine Hortense part pour sa
cure d'Aix-les-Bains, Joséphine est tout
heureuse d'avoir près d'elle ses deux petits-
fils Napoléon et Louis. On appelle le dernier
Oui-Oui. « Il faut, écrit l'ex-impératrice à sa
fille, que je rapporte une jolie réponse du petit
Oui-Oui. L'abbé Bertrand lui faisait lire une
fable où il était question de métamorphose ;
s'étant fait expliquer ce que signifiait ce mot :
« *Je voudrais*, dit-il à l'abbé, *pouvoir me
changer en petit oiseau, je m'envolerais à
l'heure de votre leçon ; mais je reviendrais
quand M. Hase (son maître d'allemand) arri-
verait. Mais, prince*, répondit l'abbé, *ce que
vous me dites là n'est pas très aimable pour
moi. — Oh !* reprit Oui-Oui, *ce que je dis
n'est que pour la leçon, et non pas pour
l'homme.* » Ne trouves-tu pas, comme moi,
cette réplique très spirituelle ? Il était impos-

sible de se tirer d'embarras avec plus de finesse et de grâce. »

Lorsque les deux garçons ont bien travaillé
dans la semaine, Joséphine les fait déjeuner et
dîner avec elle le dimanche. Elle reçoit de
Paris deux petits automates : deux poules
d'or pondant des œufs d'argent. Elle en offre une à chacun de ses petits-fils et elle pré-
vient sa fille : « Je leur en ai fait présent de
ta part, comme venant d'Aix. »

Plus d'un demi-siècle plus tard, *Oui-Oui*
devenu l'empereur Napoléon III se souviendra avec attendrissement des journées passées
à Malmaison. « Je vois encore, écrira-t-il,
l'impératrice Joséphine dans son salon, au
rez-de-chaussée, m'entourant de ses caresses
et flattant déjà mon amour-propre par le soin
avec lequel elle faisait valoir mes bons mots.
Car ma grand-mère me gâtait dans toute
la force du terme, tandis qu'au contraire ma
mère, dès ma plus tendre enfance, s'occupait
à réprimer mes défauts, et à développer
mes qualités. Je me souviens qu'arrivés à
Malmaison, mon frère et moi nous étions
maîtres de tout faire. L'impératrice, qui aimait passionnément les plantes et les serres
chaudes, nous permettait de couper les cannes
à sucre pour les sucer, et toujours elle nous
disait de demander tout ce que nous vou-
drions. Un jour qu'elle faisait cette même
demande, la veille d'une fête, mon frère, plus

âgé que moi de trois ans et par conséquent
plus sentimental, demanda une montre avec
le portrait de notre mère ; mais moi, lorsque
l'impératrice me dit : « Louis, demande tout
ce qui te fera le plus de plaisir », je lui de-
mandai d'aller marcher dans la crotte avec les
petits polissons. Qu'on ne trouve pas cette
demande ridicule, car, tant que je fus en
France où je demeurai jusqu'à sept ans, ce
fut toujours un de mes plus vifs chagrins
que d'aller dans la ville en voiture à quatre ou
six chevaux... Comme tous les enfants, mais
plus que tous les enfants peut-être, les soldats
attiraient mes regards et étaient le sujet de
toutes mes pensées. Quand, à Malmaison, je
pouvais m'échapper du salon, j'allais bien vite
du côté du grand perron où il y avait toujours
deux grenadiers qui montaient la garde. Un
jour que je m'étais mis à la fenêtre du rez-
de-chaussée de la première pièce d'entrée,
j'entrai en conversation avec un des vieux
grognards qui montaient la garde. Le factionnaire qui savait qui j'étais me répondit en
riant et avec cordialité. Je lui disais — je
m'en souviens :

— Moi aussi je sais faire l'exercice ; j'ai
un petit fusil.

Et le grenadier de me dire de le commander
et alors me voilà lui disant :

— Présentez armes ! Portez armes ! Arme
au bras !

« Et le grenadier d'exécuter tous les mouvements pour me faire plaisir. On conçoit quel était mon ravissement ; mais, voulant lui prouver ma reconnaissance, je cours vers un endroit où l'on nous avait donné des biscuits. J'en prends un et je cours le mettre dans la main du grenadier qui le prit en riant, tandis que moi, j'étais heureux de son bonheur croyant lui en avoir fait un grand. »

Et ce fut bientôt le commencement de la fin...

-:-

Le Grand Empire s'est effondré. Napoléon est vaincu. Le mardi 29 mars, sous la pluie, Marie-Louise, le roi de Rome, les ministres, le trésor, les carrosses du sacre, prennent le chemin de la Loire. A Malmaison, Joséphine monte en voiture pour se réfugier à Navarre. Il n'y a au château qu'un poste de seize hommes de la Garde. Demeurer davantage alors que les Cosaques sont à Bondy serait de la folie. L'ex-impératrice ne peut même pas demander conseil à Napoléon ! Où se trouve-t-il ? Quelque part *derrière* les armées ennemies ! Alors, la mort dans l'âme, elle abandonne Malmaison. Quand — et comment — retrouvera-t-elle son cher château ?

Elle pleure.

Tout s'est écroulé en quelques semaines.

Que va-t-elle maintenant devenir ? Comment va-t-elle vivre ? Elle qui n'a que des dettes ! Hortense lui a apporté 24 000 francs, la duchesse d'Arenberg 25 000, et Henri Tascher 7 500. Joséphine fait coudre diamants et perles dans les ourlets de son « jupon ouaté ». Craignant de ne pas trouver de relais, la fugitive a emmené avec elle tous ses chevaux et équipages. Une vraie cavalerie ! Aussi ne peut-on faire plus de cinquante kilomètres par jour.

A dix lieues de Malmaison, l'essieu de l'*Opale* se rompt. Il faut réparer. Soudain, au loin, l'ex-impératrice voit un parti de cavaliers qu'elle prend pour des Prussiens. Eperdue, elle se met à fuir à travers champ... L'un de ses valets de pied — surnommé l'*Espérance* — la rejoint à trois cents pas de la route : Ce ne sont que des hussards français du 3ᵉ régiment ! La tête « presque égarée », Joséphine remonte en voiture, mais on couchera, ce soir-là, seulement à Mantes.

Le 30, au soir, l'ex-impératrice atteint enfin Navarre, alors que Paris vient de capituler et que Napoléon à Juvisy s'exclame :

— Si je fusse arrivé plus tôt, tout était sauvé !

Joséphine n'apprendra ces nouvelles que le lendemain, 1ᵉʳ avril, par un courrier que lui a expédié Hortense. L'ex-reine de Hollande, d'ailleurs, arrive à son tour à Navarre avec ses deux fils, après avoir couché à Glatigny, à Rambouillet et au château de Louye. Elle a refusé d'obéir à Marie-Louise — la Régente — et à Louis qui lui ordonnaient de rejoindre la Cour à Blois.

Il faudra, à Joséphine et à sa fille, attendre la nuit du 2 au 3 avril pour apprendre par un auditeur au Conseil d'Etat, M. de Maussion, la trahison de Marmont, et les démarches faites par Caulaincourt à Paris auprès des Alliés au nom de Napoléon. Puis, durant cette semaine du samedi 2 au samedi 9 avril, les nouvelles vont se succéder à Navarre. « Nous avons le cœur brisé de tout ce qui se passe, écrit-elle à une amie, et surtout de l'ingratitude des Français. Les journaux sont remplis des plus horribles injures. Si vous ne les avez pas lus n'en prenez pas la peine, ils vous feraient mal. »

Joséphine apprend, successivement, le refus des Alliés de traiter avec le vaincu, la création d'un gouvernement provisoire, la première abdication où Napoléon réserve les droits de Napoléon II, le gouvernement de l'île d'Elbe accordé à l'ancien maître de 130 départements français, la scène avec les maréchaux : « Vous voulez du repos ? Eh bien, ayez-en donc ! » C'est ensuite la seconde abdication : l'empereur renonce pour lui et ses héritiers aux couronnes de France et d'Italie.

Le 9 avril, Joséphine écrit à Eugène : « Quelle semaine j'ai passée, mon cher Eugène ! Combien j'ai souffert de la manière dont on a traité l'empereur ! Que d'injures dans les journaux, que d'ingratitude de la part de ceux qu'il avait le plus comblés ! Mais il n'a plus rien à espérer. *Tout est fini ; il abdique. Pour toi, tu es libre et délié de tout serment de fidélité ; tout ce que tu ferais de plus pour sa cause serait inutile ; agis pour ta famille...* je vis dans des transes et une anxiété terribles... » En ne donnant de cette lettre que le passage souligné par nous — on l'a encore fait dernièrement — on aggrave ce qui peut alors prendre la forme d'un cruel abandon et une manière presque désinvolte de tourner la page. Certes, nous aurions préféré ne pas lire ces lignes sous la plume de l'ex-femme de l'empereur déchu, mais Joséphine avait assurément eu connaissance, le 9, du *Moniteur* daté du 6, et qui publiait les lettres d'adhésion des généraux de Napoléon au roi Louis XVIII. Prolonger la résistance de l'armée française en Italie eût été une folie ! Et Eugène aurait pu la commettre.

Le 11 avril, le traité de Paris est signé. L'article VII règle le sort de Joséphine : « *Le traitement annuel de l'impératrice Joséphine sera réduit à un million en domaines ou en inscriptions sur le grand-livre de France. Elle*

*continuera de jouir de tous ses biens meubles
et immeubles particuliers et pourra en dis-
poser conformément aux lois françaises. »*

Maintenant qu'il n'y a plus de « service
d'honneur » et moins de pensions à payer,
avec cinq de nos millions, Joséphine pouvait encore vivre princièrement. La reine Hortense et ses enfants reçoivent, de leur côté,
un revenu de 400 000 francs, tandis « qu'il
sera donné au prince Eugène, vice-roi d'Italie, un établissement convenable hors de
France ».

-:-

Joséphine a regagné Malmaison.
Nombreux sont les royalistes qui prennent
le chemin du château poussés par la curiosité
ou qui se souviennent de ce qu'a fait « cette
bonne Joséphine » pour les émigrés. Les visiteurs d'autrefois reviennent en foule. Voyant
un jour un familier de la demeure arborer le
ruban blanc, elle ne put s'empêcher de dire
en souriant :
— N'auriez-vous pas dû laisser cela chez
mon suisse ?
Le jour de l'entrée de Louis XVIII dans
Paris, le général de Lawoestine vient déjeuner
à Malmaison et fait un tel tableau du roi po-
dagre et de sa joyeuse entrée « dans sa dix-
neuvième année de son règne » que Joséphine

et sa « Courette » ne peuvent s'empêcher de
rire. Puisque le tsar Alexandre doit venir la
voir — il l'a promis — Joséphine appelle Le-
roy et lui commande, cette seconde quin-
zaine d'avril, pour 6 209 francs 75 centimes
de robes blanches et de mousselines brodées.
Le tsar vient, en effet, mais c'est davantage
pour rencontrer Hortense. Il a été maltraité
par elle et veut faire sa conquête. C'est à
peine s'il parle à Joséphine ; il s'occupe davantage de l'ex-reine, caresse ses enfants, les
garde sur ses genoux et Hortense ne peut
s'empêcher de soupirer :

— C'est un ennemi qui devient leur unique soutien.

Le 14 mai, à Saint-Leu, pour recevoir le
tsar, Joséphine fait une promenade en calèche, lorsqu'elle sent le froid la saisir. Elle
rentre au château afin de boire une infusion de
fleur d'oranger, puis s'étend un peu sur son
lit avant de descendre à la salle à manger où
elle refuse de dîner. Mais la nuit est bonne,
et c'est guérie — du moins le croit-elle —
qu'elle rejoint Malmaison.

Tout va maintenant aller vite, tragique-
ment vite... Le vendredi 27, le premier chirur-
gien du tsar — l'Écossais sir James Wylie —
arrive à Malmaison en annonçant la venue
de son maître le lendemain. Aussitôt, Joséphine s'occupe des préparatifs du dîner mais,
en sortant de la chambre, le praticien ne

peut cacher son inquiétude. Ce souffle
« anxieux », cette toux de plus en plus sèche,
ce pouls « vacillant », lui font dire à Hortense :

— Je trouve Sa Majesté bien mal, il faudrait la couvrir de vésicatoires.

Horeau s'inquiète enfin et déclare la tête de
la malade « entreprise comme si elle eût été
dans l'ivresse ». « Saisie d'effroi », Hortense
appelle les meilleurs médecins de Paris. Les
docteurs Bourdois de La Motte. Lamou-
reux et Lasserre se rendent, le 28 mai, à Malmaison. Les trois praticiens diagnostiquent
une angine purulente et prescrivent des re-
mèdes énergiques, mais le mal a fait de terribles progrès... Sur ces entrefaites, Alexandre arrive à son tour à Malmaison. Eugène
— lequel est souffrant lui aussi — le reçoit
et on convient de cacher la présence impériale à la malade. « Le tsar s'est décom-
mandé », lui dit-on, alors qu'il passera tout
ce samedi au château dans la chambre d'Eugène.

— Je suis sûre, soupira Joséphine, qu'il
est embarrassé de n'avoir rien de nouveau à
nous annoncer pour le sort qui sera fait à
Eugène, et qu'il se fait un scrupule de venir.

Le soir, Hortense lui conduit ses deux
petits-fils.

— L'air n'est pas bon ici, lui dit Joséphine ; il pourrait leur faire mal.

La nuit est très mauvaise. La respiration est de plus en plus sifflante, la fièvre monte. Hortense a été prendre quelque repos et la femme de chambre qui veille l'ex-impératrice entend la malade murmurer :

— Bonaparte... l'île d'Elbe... le roi de Rome...

Ce sont les derniers mots de Joséphine. Les derniers, du moins, que l'on peut comprendre. Le lendemain matin 29 mai, — dimanche de la Pentecôte — elle tend les bras à Hortense et à Eugène, mais le mal la serre à la gorge et les mots qu'elle essaye de prononcer sont inintelligibles.

Le visage est décomposé.

L'abbé Bertrand précepteur de ses petits-fils administre la mourante. Hortense tombe évanouie. On l'emporte dans sa chambre. Lorsqu'elle revient à elle, Eugène est là. Il prend sa sœur dans ses bras en éclatant en sanglots...

— Tout est fini.

Joséphine avait cinquante et un ans, l'âge que Napoléon aura le jour de sa mort.

Il est midi.

A cette même heure, Napoléon, à l'île d'Elbe, sort de l'église de Porto-Ferrajo où il a assisté à la grand-messe. Le soir, il se rendra au bal donné à la mairie, à l'occasion de

la fête du saint patron de la bourgade devenue sa capitale...

— Pauvre Joséphine. Elle est bien heureuse   maintenant !   soupira-t-il   lorsqu'il
apprendra sa mort par une lettre de Caulaincourt à Mme Bertrand.

Hortense et Eugène, pas plus l'un que
l'autre, n'ont songé à le prévenir !

Et durant deux jours, le Proscrit refusera
de sortir de chez lui.

-:-

Entre les rideaux de quinze-seize blancs
et de mousseline brodée d'or qui drapent
son lit, elle repose, revêtue d'un peignoir de
satin couleur de rose et coiffée de l'un de
ses jolis bonnets du matin.

Elle semble sourire.

A la mairie de Rueil, le fonctionnaire de
l'état civil est affolé. En quels termes doit-il
établir l'acte de décès ? Finalement, il se ré-
sout à tracer ces lignes étonnantes annonçant
la mort de « *l'impératrice Joséphine, femme
de Napoléon Bonaparte, général en chef de
l'armée d'Italie* ».

Selon l'étiquette des Cours, Hortense et
Eugène ne peuvent assister à la levée du
corps et à l'enterrement.

Joséphine quitte Malmaison.